FAMILLE
en AFFAIRES

Pour en finir
avec les chicanes

Les éditions
TRANSCONTINENTALES inc.
1100, boul. René-Lévesque Ouest
24e étage
Montréal (Québec)
H3B 4X9
Tél. : (514) 392-9000
1 (800) 361-5479

Fondation de l'Entrepreneurship
160, 76e Rue Est
Bureau 250
Charlesbourg (Québec)
G1H 7H6
Tél. : (418) 646-1994
1 (800) 661-2160

La **Collection Entreprendre** est une initiative conjointe de la Fondation de l'Entrepreneurship et des éditions TRANSCONTINENTALES inc.

Révision :
Monique Cloutier

Correction d'épreuves :
Lyne Roy

Photocomposition et mise en pages :
Ateliers de typographie Collette inc.

Dépôt légal – 2e trimestre 1994
Bibliothèque nationale du Québec
Bibliothèque nationale du Canada

ISBN 2-921030-65-9 (Les éditions)
ISBN 2-921681-00-5 (La Fondation)

Fondation de l'Entrepreneurship

La Fondation de l'Entrepreneurship oeuvre au développement économique et social en préconisant la multiplication d'entreprises capables de créer l'emploi et favoriser la richesse collective.

Elle cherche à dépister les personnes douées pour entreprendre et encourage les entrepreneurs à progresser en facilitant leur formation par la production d'ouvrages, la tenue de colloques ou de concours.

Son action s'étend à toutes les sphères de la société de façon à promouvoir un environnement favorable à la création et à l'expansion des entreprises.

La Fondation peut s'acquitter de sa mission grâce à l'expertise et au soutien financier de quelques organismes. Elle rend un hommage particulier à ses quatre partenaires :

FAMILLE en AFFAIRES

Pour en finir avec les chicanes

Alain Samson
en collaboration avec
Paul Dell'Aniello

AVANT-PROPOS

Certains liront ce qui suit avec le désintéressement professionnel d'un pathologiste face à sa mille et unième autopsie. Pour ces derniers, l'entreprise familiale se gère comme n'importe quelle organisation et la gestion des conflits doit se faire par le biais de griefs et de politiques établies. Ils n'ont probablement jamais été en contact avec l'entreprise familiale, un monde à part qui a ses règles propres, et où les politiques, plus implicites qu'explicites, sont davantage établies après les heures d'ouverture que pendant les réunions du conseil d'administration.

Mais pour d'autres, ceux qui vivent présentement une situation conflictuelle stressante qui ronge une bonne partie de leur énergie et qui influence à la baisse leur rendement au travail, cet ouvrage pourrait bien être une révélation.

Trop souvent, ceux qui sont en situation de conflit ou de crise s'enferment dans un univers bien à eux et se bercent dans l'illusion qu'ils sont seuls au monde et qu'il n'existe peut-être pas de solution à leur détresse. Ce cadre mental peut mener à un cercle vicieux où la détresse engendre la détresse et où toute tentative de résolution de la crise est rapidement exclue.

On attend. On espère que tout finira par s'arranger. Et pendant ce temps, les ventes chutent, les employés se démoralisent, et les clients se plaignent. Quand le temps aura réglé la crise, l'entreprise n'existera peut-être plus. Je souhaite que cet ouvrage vous aide à éviter cette situation.

Souvent, le simple fait de savoir que des crises ont été vécues et résolues des milliers de fois dans d'autres entreprises suffira à donner le courage nécessaire pour s'attaquer au problème, pour forcer les événements plutôt que de les subir, pour agir au lieu de réagir.

Lorsque je suis invité à conseiller des familles aux prises avec des conflits prétendument insolubles, les membres sont surpris de la facilité avec laquelle les masques peuvent tomber quand on pose les bonnes questions et qu'on assume les bons rôles. On se rend compte à ce moment qu'on s'est fait des montagnes et on se promet que ça ne se produira plus.

Mais il faut que cela se reproduise. C'est essentiel, car c'est ainsi qu'une entreprise grandit. L'absence de conflit dénote une pensée uniforme, une culture contraignante qui tendra à étouffer toute tentative d'innovation et à refuser tout changement propre à s'adapter à un environnement changeant, turbulent et discontinu.

J'aimerais qu'à la lecture de cet ouvrage, vous preniez conscience de l'origine des conflits que vous vivez, de la manière dont vous les entretenez et des effets des méthodes de résolution proposées. Vous pourrez ainsi devenir un agent de changement efficace dans votre organisation et faire en sorte que l'énergie de chacun soit dirigée vers l'atteinte des objectifs de l'organisation et non vers le maintien d'une situation conflictuelle.

J'aimerais aussi profiter de cet avant-propos pour remercier Léon et Katy Danco, du Center for Family Business de Cleveland. Ce furent des précurseurs. Dès 1962, ils fondaient ce centre et ils ont fait un travail de pionniers. La découverte de leur oeuvre a été un tournant majeur et leur rencontre fut révélatrice. Ils ont su me montrer mieux que quiconque qu'il y a un livre en chacun de nous.

Alain Samson

TABLE DES MATIÈRES

LISTE DES TABLEAUX

LISTE DES FIGURES

INTRODUCTION

Pourquoi est-ce qu'une personne réussit alors qu'une autre, dans des circonstances similaires, se casse les dents ? Pourquoi celui qui a percé dans un domaine et qui s'aventure dans une nouvelle entreprise y perd-il souvent sa chemise ? Pourquoi un diplômé en gestion échouera-t-il alors qu'on lui a enseigné tout ce qu'il est censé faire ? Quel est le secret de la réussite en affaires ?

Certains ont pensé avoir trouvé la réponse et se sont fait les apôtres de la qualité totale, du plan marketing créatif, de la gestion financière serrée ou de la structure de capital permettant un retour maximal sur l'investissement. Mais, très souvent, ceux qui mettaient en pratique ces suggestions n'obtenaient pas les résultats escomptés.

Bien entendu, offrir le meilleur produit, posséder le meilleur emplacement, faire la meilleure publicité, avoir le meilleur comptable et beaucoup d'argent peuvent aider, mais tout cela n'assure pas automatiquement le succès. Si c'était le cas, il n'y aurait plus de petites entreprises.

D'un autre côté, avoir le pire produit, une publicité sans allure, un mauvais emplacement, une idée qui n'a pas de bon sens et un comptable qui ne sait pas compter ne sont pas en soi un gage d'échec. Il y a des gens qui réussissent dans les pires conditions. Pourquoi ?

Il faut bien faire l'épicerie

Le fondateur d'une entreprise débute rarement avec un plan d'affaires complet en poche. Il s'agit souvent d'un chômeur qui, parce qu'il n'arrive pas à trouver du travail ailleurs, décide un jour qu'il n'a aucune envie de vivre de l'aide sociale. Il encaisse alors son régime enregistré d'épargne-retraite et *se lance en affaires*, une chose à laquelle il n'aurait peut-être pas songé s'il n'avait pas perdu son emploi et ne s'était pas retrouvé dans l'incertitude.

Se lancer en affaires peut vouloir dire bien des choses. Le menuisier deviendra entrepreneur en construction, le cadre deviendra consultant, le bibliophile deviendra libraire. Chacun choisira un domaine où il est à l'aise et où c'est possible de mieux servir les clients.

Mais une fois le local loué, les cartes professionnelles imprimées et l'enseigne fixée, il faudra quand même manger et faire vivre la famille. Travaillant du matin au soir, sept jours par semaine, le propriétaire d'entreprise attaquera le marché avec une énergie incomparable. Il cassera les prix, fera de la livraison sans frais supplémentaires et offrira un service hors du commun. S'il ne le fait pas, le client n'achètera pas et ce nouvel entrepreneur n'aura pas d'argent pour faire l'épicerie. Sa conjointe doutera alors des capacités de ce dernier qui devra fermer boutique. Tout le monde dira qu'il a échoué, y compris sa belle-famille.

C'est cette crainte, plus que toute autre chose, qui explique la réussite d'un entrepreneur. Il ne compte pas les heures, il met tous ses oeufs dans le même panier et il se place ainsi dans une situation où il ne peut pas faire marche arrière sans tout perdre. Il décide de tout, fait tout mieux que ses employés et ne demande jamais l'avis de personne. Toute son énergie est concentrée sur l'entreprise et il en est le seul maître.

La croissance de l'entreprise peut prendre 5, 10 ou 15 ans. Pendant ce temps, le propriétaire est obsédé par sa création et n'a pratiquement pas de temps pour s'occuper de sa famille. Les enfants grandissent en le voyant rentrer du travail, fourbu et fatigué. Il se refuse à informer sa conjointe de ses activités, de peur qu'elle ne l'abandonne. Cette manie du secret et cette communication déficiente seront plus tard responsables de bien des problèmes.

Mais un bon jour, cet entrepreneur s'aperçoit que l'entreprise est enfin rentable. Il doit engager plus de personnes et, ainsi affublé du titre de créateur d'emplois, il se rend compte que les gens de la communauté ne le regardent plus de la même façon. Alors que pendant les premiers mois on le considérait de haut, on l'appelle aujourd'hui Monsieur et on lui démontre une courtoisie qu'il n'avait jamais connue.

Les gens, qui maintenant le regardent, se demandent ce qu'il peut bien avoir, ce qu'il a de spécial. Pourquoi a-t-il réussi alors qu'il est moins instruit? Comment a-t-il pu s'attaquer avec succès à une entreprise concurrente qui était en place dans la ville depuis des années?

Ce n'est pas à l'extérieur qu'il faut chercher les raisons de son succès. La chance y est certes pour quelque chose, mais il n'y a pas que cela. C'est la personne qui réussit, non l'entreprise. C'est grâce à la force de caractère du dirigeant, à son entêtement à continuer et à cette extraordinaire capacité à se placer dans des situations où il ne peut s'en sortir vivant qu'en gagnant.

Mais, tout comme le succès initial, la croissance future est aussi dépendante des personnes et les fermetures d'entreprises ne sont pas toujours causées par des gouvernements irresponsables, par l'importation massive, par les syndicats revendicateurs ou par les nouveautés technologiques. Très souvent, les facteurs mêmes qui ont permis le succès de l'entreprise porteront en eux les germes de sa perte.

Trop souvent, le succès marquera un changement de rythme dans la vie de l'entrepreneur. Poussé jusqu'ici par la crainte de l'échec, il se rend compte que la réussite peut amener un confort dont il n'a jamais joui et qu'il est bien en droit de se permettre. À ce même moment, les enfants, qui sont maintenant grands, s'intègrent tant bien que mal à l'entreprise et souhaitent y faire leur marque.

Mais les suggestions des enfants seront rarement mises en oeuvre. Papa a monté tout seul son entreprise et il sait comment elle doit être gérée. Il ne souhaite pas tout leur dire et aimerait davantage les voir travailler à bon prix plutôt que d'avoir à supporter leurs prétendues idées de génie.

L'incompréhension s'installe progressivement et, petit à petit, afin d'éviter des conflits qui rendraient la vie familiale impossible, chacun décide de taire ses récriminations et de s'enterrer dans la routine quotidienne. On oublie de penser à l'avenir. Le moment majeur de la journée devient la visite du facteur. C'est souvent l'arrêt de mort de l'organisation.

Les remises en question deviennent choses du passé. La moindre suggestion d'innovation est écrasée. L'entreprise va bien, chacun reçoit son chèque de paie et le dépense à sa guise. Pourquoi chercher à changer une solution éprouvée et une façon de commercer qui a fait ses preuves ?

Notre propos

Dans cet ouvrage, nous traiterons de la résolution des conflits dans l'entreprise familiale. Nous soutenons et démontrerons qu'en améliorant la gestion de ces conflits, qu'ils soient latents ou qu'ils aient déjà contribué à créer un état de crise, il sera possible de s'attaquer aux vraies causes de l'échec des entreprises : le refus de faire face à la réalité, la procrastination, le manque de communication, les objectifs mal définis et non partagés, un attachement aux valeurs passéistes qui avaient cours lors de la fondation de l'entreprise et une méconnaissance de l'environnement contemporain.

Pourquoi traiter de l'entreprise familiale? Tout simplement parce que c'est sur elle que repose l'avenir de notre économie. Les grandes entreprises n'en finissent plus de rationaliser et les gouvernements sont trop endettés pour pouvoir créer de nouveaux emplois. Il ne reste que l'entreprise privée pour assurer une croissance de l'emploi dans l'avenir, une baisse du chômage et une amélioration globale de la qualité de vie au Québec.

Mais pour être en mesure de faire face à ces défis, l'entreprise privée doit apprendre à faire face à la croissance. Il ne faut pas se contenter de ce que l'on a atteint et s'asseoir sur ses lauriers. Il ne faut pas continuer à penser que les affaires se font toujours comme il y a 20 ans, lors de la création de la compagnie, et que le monde n'a pas changé. Il faut être ouvert aux « contestataires » travaillant à l'intérieur de l'organisation et comprendre que refuser de grandir à cause des risques implicites que cela comporte revient à refuser des occasions de marché et à les laisser à la concurrence.

Par-dessus tout, il faut arrêter de réinventer la roue à chaque génération en systématisant et en professionnalisant l'entreprise. Il faut mettre un terme à ce taux effarant de mortalité chez les entreprises lors des changements de génération. Nous ne pouvons nous permettre de repartir à zéro tous les 25 ou 30 ans. Il faut que nos entreprises traversent les années en grandissant et en s'améliorant. C'est ainsi que nous serons en mesure de faire face à la globalisation des marchés.

Un livre-outil

Ce livre n'est pas fait pour être lu puis rangé dans une bibliothèque. Votre lecture terminée, faites-le lire aux autres membres de votre famille. Demandez-leur ce qu'ils en pensent et encouragez une discussion franche sur les réflexions de chacun lors de la lecture.

Les chapitres qui suivent traiteront tour à tour de la nature des conflits à l'intérieur de l'entreprise familiale et d'une méthode inédite pour les résoudre. Il sera question des conflits impliquant les membres de la famille et de ceux pouvant survenir entre l'entreprise et des personnes qui n'ont pas d'attaches familiales (les « étrangers »). Nous parlerons aussi du recours possible à des professionnels externes pour résoudre certaines situations critiques.

À chaque chapitre, nous commencerons avec une courte mise en situation où plusieurs d'entre vous se retrouveront. Suivra une description des sources potentielles de conflits et des avenues possibles pour les résoudre. Finalement, certains chapitres se termineront par une série d'activités que vous êtes libres de faire, mais dont vous retirerez le plus grand bénéfice.

Bonne lecture et bon travail.

CHAPITRE 1

PARLONS CONFLIT

Ce premier chapitre traitera de la nature des conflits, de ses causes et de ses effets. Nous examinerons d'abord ce qui se passe à l'Imprimerie Ledoux inc., puis nous nous interrogerons sur les attitudes, les rôles et les raisons qui font que chacun de nous perçoit un conflit à sa manière et préfère voir durer la situation plutôt que de faire face à l'inconnu.

Paul de Backer, dans un article publié en 1973[1], définit le conflit comme

> « une phase dans l'interrelation entre groupes ou personnes pendant laquelle le décalage entre, tout d'abord, la perception de l'image de soi et l'image de l'autre (ce que je pense de moi-même et de mon groupe), puis le décalage entre la situation de soi et la situation des autres, et enfin le décalage entre la projection dans l'avenir de soi et la projection dans l'avenir de l'autre, ces décalages étant perçus comme une menace pour cette interrelation même, aboutissant soit à un nouveau mode d'interrelation dans lequel la tension entre les deux apports est moins grande, soit au contraire, à un refus d'interrelation ».

Que veut-il bien dire ?

---

1. Cité dans *Initiation à la psychologie du travail* de Dolan S. et Lamoureux G.

Nous pouvons dégager de cette notion l'idée que la racine du conflit ne se situe pas nécessairement dans la réalité, mais réside plutôt dans la perception que les gens se font de cette réalité. Il n'y a ensuite qu'un pas pour dire que le conflit est ainsi créé de toute pièce par les individus et qu'il est indépendant de la situation réelle prévalant dans l'entreprise. C'est souvent ce qui se passe dans l'entreprise familiale et c'est ce que nous verrons dans la mise en situation suivante. Nous y rencontrerons une famille tout à fait normale et une situation plus fréquente que l'on pense.

L'IMPRIMERIE LEDOUX INC.

L'ambiance était lourde en cet après-midi du jour de l'An chez M. et Mme Ledoux, propriétaires de l'imprimerie du même nom. Comme le voulait la coutume, les enfants étaient arrivés au début de l'après-midi et il était entendu que le souper serait pris en famille. Les petits-enfants couraient çà et là, ne prêtant pas la moindre attention aux délicats bibelots de porcelaine qui faisaient la fierté de Mme Ledoux, et insouciants de la tension qui emplissait l'air.

Il est de coutume, en début d'année, de faire des projections sur l'année qui commence et de se féliciter des bons coups de celle qui finit. Mais ce n'était pas le cas cette année. La conversation portait sur les frasques des politiciens locaux et sur les élections municipales prochaines. Personne ne voulait aborder le sujet de l'entreprise familiale parce qu'en vérité, l'année qui venait de s'achever avait été désastreuse.

Les ventes avaient chuté, le moral des employés était à son plus bas et les plaintes en provenance de la clientèle avaient atteint des records inégalés en 30 ans.

Denis, responsable du marketing, et Michel, responsable de la production, ne se parlaient plus depuis

Figure 1.1

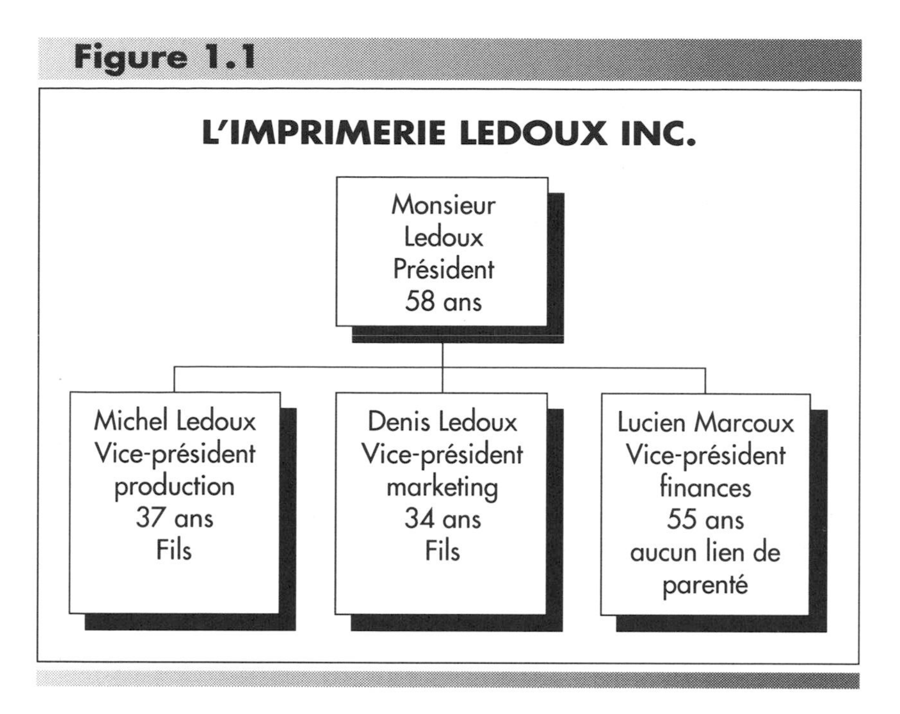

bientôt 10 mois. Cela avait débuté bien innocemment, mais l'escalade avait perturbé l'organisation du travail. Pour tout dire, la production et le marketing fonctionnaient maintenant isolément. Les vendeurs avaient pour ordre de vendre, mais ils n'avaient aucun contact avec la production et vivaient déconnectés des contraintes inhérentes aux temps de presse de l'entreprise. Cette dernière avait même connu un moment (au mois de septembre) où la presse quatre couleurs ne suffisait plus à la demande tandis que les autres machines n'étaient pas en activité, faute de commandes. Les marchandises avaient été livrées en retard aux clients et un important fabricant de calendriers avait décidé de changer de fournisseur. Quant au vice-président des finances, M. Marcoux, il se débattait tant bien que mal dans cette guerre psychologique qui sacrifiait la rentabilité de l'organisation à une crise que personne ne comprenait.

Comment croyez-vous que tout avait commencé ?

M. Ledoux redoute l'instant où il devra choisir lequel de ses fils lui succédera à la présidence. Depuis des années, il ne parle pas de ses projets d'avenir et encourage simplement ses enfants à faire ce qu'il leur demande. Soucieux de ne pas favoriser un fils par rapport à l'autre, M. Ledoux leur verse à chacun un salaire identique, mais les fils n'en savent absolument rien.

Or, Michel et Denis n'ont pas la même personnalité. Michel et son épouse, qui n'ont pas d'enfants et possèdent une vision bien à eux de l'utilisation du crédit, n'hésitent pas à changer de voiture tous les ans et à prendre de somptueuses vacances dans le Sud. Ils ont même, l'année dernière, acheté une nouvelle maison dans un coin luxueux de la ville. Ils aiment la belle vie, mais Michel ne néglige pas pour autant son emploi. Il y investit le temps nécessaire pour s'assurer que tout soit fait pour le mieux.

Denis et Madeleine, son épouse, ont trois enfants, ce qui les retient davantage à la maison. De plus, ils préfèrent l'épargne au crédit ; chaque année, ils versent le maximum possible dans leurs régimes d'épargne-retraite. Ils ont une vie « normale » et sont heureux ainsi.

Mais quand Michel a changé de maison, il y a un an, Denis et Madeleine se sont dit que c'était impossible avec un salaire équivalent à celui de Denis. Tranquillement, au fil des semaines, à cause de l'ignorance dans laquelle les deux frères sont maintenus relativement à leurs salaires respectifs, Denis et Madeleine ont commencé à faire des suppositions sur le salaire de Michel. De semaine en semaine, le salaire supposé augmentait et ils éprouvaient de plus en plus un sentiment d'injustice.

Ce sentiment d'injustice est devenu jalousie, et la jalousie a progressivement entraîné une rupture de la communication. Les travailleurs à la production, soucieux de bien paraître face à leur supérieur immédiat, encouragent maintenant Michel à tenir tête à son frère et les vendeurs font de même avec Denis.

La situation s'aggravant, Denis a depuis longtemps oublié pourquoi il déteste autant son grand frère. Si rien n'est fait bientôt, ce sont les 26 employés de l'imprimerie qui paieront pour une crise qui n'a aucun fondement réel et qui n'aurait jamais dû exister.

PERCEPTION ET RÉALITÉ

Dans le cas de l'Imprimerie Ledoux, nous le voyons bien, une crise réelle a été fabriquée de toutes pièces par deux fils bien intentionnés qui ont du cœur à l'ouvrage et qui aiment l'entreprise familiale.

Maintenu dans l'ignorance relativement aux politiques salariales, chacun des frères n'a d'autres ressources que celle d'imaginer le salaire de l'autre. Ce qu'ils imaginent devient donc pour eux la réalité et c'est par rapport et en réaction à cette réalité personnelle qu'ils agiront par la suite. Imaginez l'attitude de Denis le jour où il apprendra que le salaire de son grand frère est identique au sien. Espérons que cela arrivera avant la faillite de l'imprimerie.

La façon dont vous percevez les gens influence grandement votre capacité à interagir avec eux. C'est pourquoi vous ne devez jamais tenir pour acquis que votre interlocuteur a la même vision que vous du problème auquel vous faites tous les deux face. Il faut prendre le temps de mettre cartes sur table et d'éviter de sauter à des conclusions qui se révéleraient pauvrement adaptées à la vraie réalité, celle qui est indépendante de votre perception.

Faites un test. Vous trouverez plus loin un questionnaire portant sur la perception que vous entretenez de votre organisation. Distribuez une copie aux membres de votre famille et aux cadres supérieurs de l'entreprise. Que chacun réponde aux questions à sa manière et retrouvez-vous ensuite pour discuter et comparer vos réponses.

Vous comprendrez peut-être à ce moment la source des comportements qui jusqu'ici vous semblaient carrément incompréhensibles. Si cet exercice est fait avec franchise et ouverture d'esprit, il pourrait vous faire comprendre bien des choses. Vous pourriez même en venir à vous demander si vous travaillez tous dans la même entreprise. Et vous auriez raison de le faire.

Par exemple, si à la question 1, vous préconisez une augmentation des ventes, vous pourriez proposer une augmentation du budget publicitaire, une diminution générale des prix ou un programme spécial destiné à fouetter les vendeurs. Vous songerez à augmenter la capacité de production en ajoutant peut-être un quart de nuit ou un nouvel employé.

Par contre, celui qui préconise une augmentation des marges bénéficiaires sera réfractaire à vos suggestions et proposera, par exemple, un nouveau logo type et d'autres emballages destinés à améliorer votre image de marque. Il suggérera d'augmenter légèrement les prix ou de diminuer les dépenses fixes.

Comment voulez-vous alors travailler efficacement avec ce dernier si vous ne connaissez pas son monde et sa perception de l'entreprise ? Vos efforts viendront probablement annuler les siens, les profits fondront, et vous vous rejetterez mutuellement le blâme, en vous accusant probablement tous les deux de ne rien comprendre à la réalité.

Tableau 1.1

LA PERCEPTION DE MON ORGANISATION

1. Quel est votre point fort face à vos compétiteurs ?
2. Quel est votre point faible face à vos compétiteurs ?
3. Ce qu'il faudrait viser en premier lieu pour l'année qui vient, c'est :
   a) une augmentation des ventes
   b) une augmentation des marges de profit
   c) l'abandon des activités déficitaires
4. Quel pourcentage des profits devrait être réinvesti dans l'entreprise et quel pourcentage devrait être versé aux actionnaires ?
   Réinvesti : % Distribué : %
5. Votre entreprise pourrait-elle supporter un accroissement de sa dette pour acheter les parts d'un actionnaire mécontent ?
6. Selon vous, la planification et la budgétisation constituent-ils une entrave au travail du dirigeant ?
7. Votre marché est-il en croissance ?
   Pourriez-vous diversifier vos activités ?
8. Vrai ou faux
   Vos coûts sont surtout des coûts fixes.
   Nous pourrions vendre davantage sans investir.
   Les vendeurs sont surtout motivés par l'argent.
   Nous savons où nous devrions être dans cinq ans.
   Le meilleur indicateur de performance reste le retour sur investissement.
9. Quand devrait-on aborder la question de la succession ?
10. Quelle serait la meilleure tactique pour les mois à venir ?
    a) investir dans de l'équipement plus performant
    b) maximiser le rendement de l'équipement existant

LES 4 SOURCES DE CONFLIT

Passons maintenant en revue les quatre principales sources de conflit, les situations qu'elles provoquent et les remèdes les mieux adaptés à leur traitement. Nous commencerons par l'ignorance, que nous venons de voir dans l'exemple de l'Imprimerie Ledoux. Nous traiterons ensuite de l'incompatibilité des objectifs, des attitudes et des préjugés, puis de la confusion existant entre les objectifs personnels et corporatifs.

1. L'ignorance

L'être humain déteste l'incertitude et son esprit entreprend rapidement de remplir les espaces laissés vides par l'ignorance. Dès l'aube des temps, l'homme préhistorique, face à l'immensité du ciel étoilé, a relié les étoiles pour en faire des constellations qu'il pourrait par la suite reconnaître. Il a créé des légendes pour faire vivre ces ensembles et c'est ainsi que sont nés la mythologie et l'astronomie.

Il en va de même dans l'entreprise. Celui qui ne possède pas toute l'information qui lui permettrait de comprendre ce qui se passe autour de lui s'entêtera quand même à relier entre eux les événements qu'il connaît pour diminuer son sentiment d'incertitude. Ce faisant, il créera souvent des légendes, trouvera des explications à des événements, qui ne sont dans les faits jamais survenus, et s'enfoncera dans un monde qu'il n'aurait jamais pénétré si on lui avait dit ce qu'il devait savoir.

Le graphique suivant nous démontre ainsi comment se crée un conflit à cause de l'ignorance. Supposons que la direction d'une entreprise annonce en grande pompe que les activités seront bientôt informatisées et qu'en même temps, les vendeurs utiliseront des ordinateurs portatifs afin d'améliorer leur rendement.

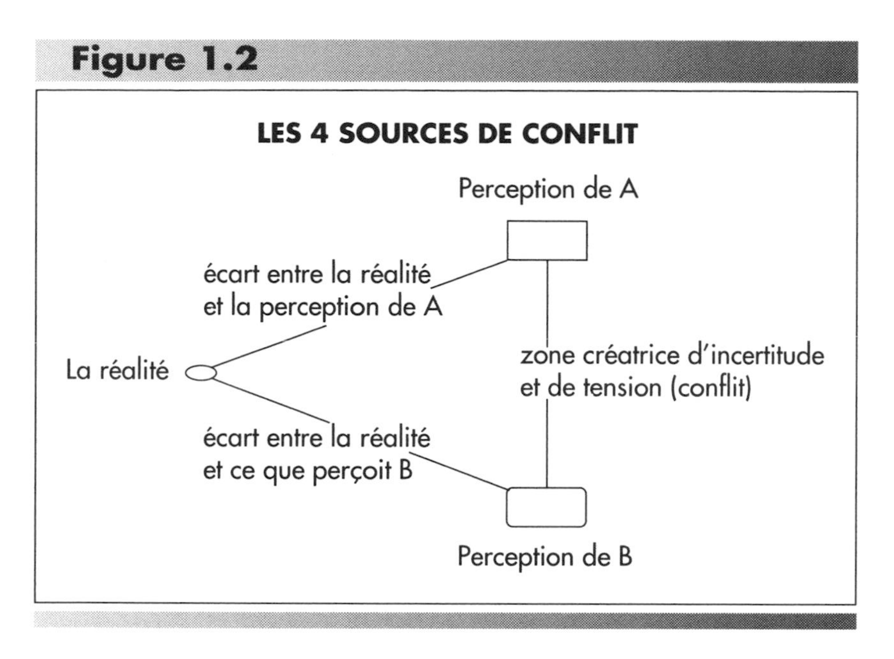

Le vendeur A adore l'informatique. Il a depuis longtemps un ordinateur personnel chez lui et s'en sert déjà pour une foule d'applications.

Quant au vendeur B, c'est à peine s'il en a déjà vu un à la télévision. La différence entre le degré de familiarité de A et de B face à l'informatique modifiera leur perception en agissant sur l'écart qui existera entre la réalité (l'annonce d'une augmentation prochaine de la productivité) et leur perception.

Le vendeur A pourrait très bien être heureux de la nouvelle et soutenir que ses revenus vont augmenter parce qu'il pourra vendre davantage. Le vendeur B peut se dire anxieux, car ne connaissant rien de l'informatique, il se questionnera sur sa capacité à faire face au défi et sur la sécurité de son emploi.

Il est bien entendu que plus l'écart sera grand entre la perception de A et celle de B, plus il y aura risque de conflit s'ils discutent d'informatique.

Mais si A se rend compte de la détresse de B, il pourra, en lui expliquant comment fonctionne un tel système et en lui disant que ça s'apprend en une fin de semaine, réduire l'écart entre la perception de B et la sienne, ce qui diminuera l'incertitude et les risques de conflit.

Le conflit naît donc de la différence entre deux perceptions et non de l'écart entre cette perception et la réalité. Si tous deux ne connaissent rien à l'informatique et qu'ils partent en guerre contre le projet, il n'y aura pas de conflit entre eux parce que leur perception de la réalité sera la même.

L'antidote à l'ignorance est facile à trouver : c'est l'information et la communication. Expliquez aux personnes concernées ce qu'il en est, même si ça vous paraît évident. Surcommuniquez s'il le faut. Annoncez les décisions majeures sur le babillard interne. En même temps, expliquez-en la raison. Fournissez à vos employés l'information nécessaire à l'accomplissement de leur travail. S'ils ne disposent pas de toute cette information, ils se sentiront impuissants et perdront leur motivation.

Surtout, écoutez. Soyez attentif aux rumeurs de corridors. Reformulez ce qui vous a été dit pour être certain d'avoir compris (« Si je comprends bien, vous voulez savoir si nous avons prévu un programme de formation pour favoriser l'informatisation... »). Dès que vous avez identifié la cause d'un écart entre la réalité et la perception, n'hésitez pas à fournir l'information qui clarifiera tout (« J'ai quelques jeux sur ordinateur. Je pourrais te les prêter en fin de semaine. Cela t'amuserait et te prouverait en même temps que le clavier ne va pas te manger ! »).

La même situation peut également se présenter quand les attentes et les objectifs sont mal exprimés. Imaginons un instant que A soit le supérieur hiérarchique de

B. A est au courant des attentes quant au rendement de B, mais dans cette entreprise (comme dans bien d'autres, malheureusement), on n'explique pas aux personnes ce que l'on attend d'elles. B travaillait autrefois dans une autre société où les quotas, inférieurs à ceux qu'il ne connaît pas dans l'entreprise pour laquelle il travaille actuellement, étaient clairement exprimés. Ses objectifs sont donc restés les mêmes, et il les atteint facilement . Il croit sincèrement faire un bon travail, alors que son supérieur le considère comme un incapable. Imaginez les relations entre eux.

2. L'incompatibilité des objectifs

Il est beaucoup plus intéressant de faire de la chaloupe quand tout le monde rame dans la même direction. Si trois personnes souhaitent se rendre à Québec tandis qu'une quatrième rame vers Montréal, l'équipe ne sera pas performante et les résultats seront médiocres. L'esprit de corps n'y sera pas.

Voici un exemple plus fréquent qu'on ne pourrait le croire : après le décès des fondateurs, trois enfants se retrouvent propriétaires à parts égales d'une entreprise manufacturière. Deux d'entre eux se sont depuis longtemps fait une vie à eux loin de l'entreprise tandis que le troisième y est fortement engagé et entretient des projets d'envergure.

Mais d'année en année, les projets de réinvestissement de l'héritier engagé dans l'entreprise se heurtent aux attentes en dividendes des autres enfants. Ces derniers, majoritaires lors d'un vote, préfèrent un flot régulier de dividendes et refusent de sacrifier leur principale source de revenus pour ce qu'ils considèrent être les enfantillages de la part de leur frère.

Les premières années se passent tant bien que mal. On réussit à verser les dividendes et à entretenir l'équipement en place. Mais après un certain temps, l'équipement, devenu désuet, permet avec difficulté de faire face à des compétiteurs munis de la toute dernière technologie. L'entreprise devient rapidement déficitaire et les trois actionnaires décident à l'unanimité, quelques années plus tard, de liquider l'entreprise avant de tout perdre. Il n'y a plus rien à partager ; les dividendes deviennent chose du passé et tous les employés perdent leur emploi.

Ces conflits, à cause d'une divergence entre les objectifs des uns et les attentes des autres, ne sont pas toujours résolubles. Souvent, il faudra endetter fortement la compagnie pour racheter les actionnaires qui ne sont pas intéressés par la croissance à long terme de l'entreprise.

L'antidote à cette source de conflit reste la communication, la négociation et la prévention. Il faut essayer de comprendre ce qui motive l'autre à agir de telle ou telle façon et s'efforcer de trouver un terrain d'entente qui fera l'affaire des deux partis. Mais tant que l'on n'est pas assez ouvert pour comprendre les objectifs et les motivations de l'autre parti, c'est peine perdue parce qu'on sera incapable de trouver les arguments qui font de notre proposition un instrument qui saura également combler les attentes de l'autre.

3. Les attitudes et les préjugés

Il s'agit ici de cas où ce n'est pas tant le contenu du message, mais son émetteur, qui nous exaspère. Cet agacement peut provenir des valeurs qu'il véhicule (pour ou contre la peine de mort, prêt à voler le fisc sans aucun remords), de ses comportements (harceleur sexuel, menteur, vendeur sous pression, sans pitié pour ses clients) ou tout simplement parce que « son visage ne nous revient pas ».

Qu'on le veuille ou non, certaines personnes nous « tombent sur les nerfs ». Elles nous sont carrément antipathiques et, malgré toute la bonne volonté qu'on peut y mettre, on n'arrive pas à les trouver agréables à côtoyer.

Il arrive que ces mésententes viscérales soient un résidu de la petite enfance. Si c'est le cas entre un frère et sa sœur, et qu'ils sont appelés à travailler ensemble dans le même bureau, on peut s'attendre à une baisse de la rentabilité corporative. Dans ces cas, souvent, il vaudra mieux les séparer physiquement en leur donnant des responsabilités qui n'ont pas de liaisons directes. On pourrait par exemple, si l'entreprise se trouve à Chicoutimi, nommer un des deux gladiateurs directeur du bureau des ventes de Montréal.

Lors d'un tel conflit, il faut soit éloigner les belligérants, soit modifier la perception de celui ou de celle qu'ils considèrent comme l'ennemi. Cela peut être fait par le biais de mise en situation, par l'imposition d'une mission commune, qui a pour effet de focaliser les efforts sur la tâche à accomplir plutôt que sur les relations interpersonnelles, ou par le mécanisme de résolution de conflits que nous verrons au chapitre suivant.

Le défi, quand on souhaite mettre un terme à ce genre de conflit, c'est qu'on s'attaque davantage à l'irrationnel qu'au rationnel et que les gens n'ont pas vraiment envie d'y mettre un terme.

4. La confusion entre les objectifs personnels et de l'entreprise

L'entreprise et la famille forment deux systèmes différents au niveau des attentes, du mode de relations et du fonctionnement. Alors que le système familial est basé sur les émotions, sur l'amour et le partage, le système corporatif est rationnel et basé sur les tâches à accomplir. Ce dernier exige une performance adéquate, sinon il y aura mise à pied.

Il n'y a jamais de mise à pied dans une famille, et c'est lorsque les gens ne font pas la différence entre famille et entreprise que plusieurs conflits naissent. Nous traiterons davantage de cet aspect au chapitre 3, mais donnons rapidement quelques exemples.

On impose à des employés performants un supérieur incompétent, mais, comme il fait partie de la famille, personne ne peut protester. Cette situation créera de nombreuses frictions. D'un côté, les employés percevront comme injuste que l'emploi n'ait pas été attribué au mérite et, d'un autre, les employés qui avaient l'œil sur le poste décideront souvent de quitter l'entreprise pour une organisation où la promotion reste possible.

Tous les membres de la famille sont invités à se joindre à l'entreprise. S'ils n'ont pas les compétences pour occuper un poste particulier, on crée un nouveau poste pour eux. Très rapidement, cette pratique amène une réduction des bénéfices d'exploitation, une baisse importante des investissements en capital et une perte de parts de marché.

On récompense les employés membres de la famille en se basant sur leurs besoins plutôt que sur leur performance. Par exemple, si un petit-enfant vient au monde, le fils ou la fille recevra une augmentation de salaire, peu importe son rendement ou la capacité de payer de l'entreprise. Cette augmentation sera souvent perçue comme injuste par les autres enfants œuvrant dans la société, qui comprendront le message implicite : « Si vous voulez une augmentation, ne travaillez pas plus fort, faites des bébés ! »

Il arrive aussi qu'une décision importante doive être prise au sujet de l'avenir de l'entreprise. Mais tous ne partagent pas la même opinion, et deux camps se forment dans la famille. Pour éviter tout conflit, on joue à l'autruche en décidant de ne pas affronter ce choix et de laisser l'avenir de l'entreprise au hasard des événements.

Dans tous ces cas, le problème vient du fait qu'on ne fait pas de distinction entre famille et entreprise. Or, une entreprise ne se gère pas comme une famille et, inversement, une famille ne peut être gérée comme une entreprise. Il faut que tous soient conscients des différents rôles qu'ils sont appelés à jouer et se rallient autour de grands principes communs.

Si tous sont d'accord pour que la famille soit prioritaire et qu'ils sont conscients que cela implique à plus ou moins long terme une liquidation de l'entreprise, qu'il en soit ainsi. Le conflit naîtra si quelqu'un croit fermement que c'est l'entreprise qui doit venir en premier.

Résumons donc en un tableau synthèse nos quatre sources de conflit et les antidotes qui leur sont appropriés.

LES 5 COMPORTEMENTS FACE AU CONFLIT

Nous venons de voir les quatre principales sources de conflit dans l'entreprise familiale. Retenons-les parce que leur identification sera à la base du processus de résolution de crise que nous verrons au chapitre suivant. Cette section traitera des réactions qu'une des parties aura face à la situation.

Les réactions d'un gestionnaire face à un conflit dépendent généralement de deux facteurs : l'intérêt qu'il entretient face à ses propres objectifs et celui qu'il porte à ses relations avec les autres. S'il ne pense qu'à ses propres intérêts et se fout de ses relations avec autrui, il cherchera à tout coup une solution où il gagnera au détriment de l'autre.

Tableau 1.2

TABLEAU SYNTHÈSE	
Source	**Antidote**
1. L'ignorance	Information et communication
2. L'incompatibilité des objectifs	Communication, prévention, négociation
3. Les attitudes et les préjugés	Éloignement, jeux de rôles
4. La confusion entre les objectifs personnels et corporatifs	*Credo* familial, dissociation famille-entreprise

À l'opposé, s'il privilégie surtout sa relation avec l'autre et qu'il lui accorde plus d'importance qu'à ses propres objectifs, il acceptera une solution perdante. Une telle situation, si elle se reproduit trop souvent, finira par miner le moral de celui qui joue au perdant et provoquera rapidement une baisse de son rendement au travail.

Le graphique ci-joint indique les cinq principales plages de résolution de conflits et démontre qu'il n'y a qu'une solution optimale (gagnant-gagnant). L'idéal en négociation, c'est de s'entendre à l'avance pour que tous les opposants recherchent une solution gagnant-gagnant. Si vous annoncez d'entrée de jeu : « Je sais que nous vivons une situation conflictuelle. J'aimerais tout mettre en œuvre pour que nous en arrivions à une solution qui nous satisfasse tous les deux et je n'accepterai pas une solution qui fasse de l'un de nous un perdant. Qu'en penses-tu ? », l'autre répondra à coup sûr qu'il est d'accord et, plutôt que de dépenser ses énergies à protéger ses positions, il partira lui aussi à la recherche d'une solution créatrice.

Figure 1.3

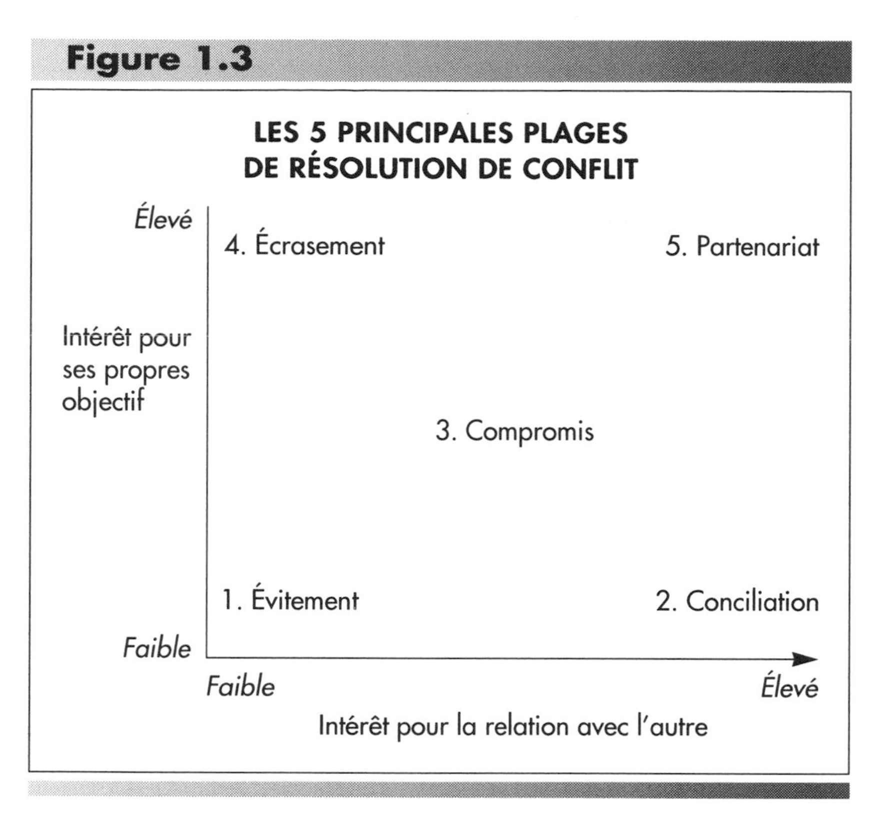

Cet idéal n'est cependant pas toujours possible dans l'entreprise familiale parce que certaines décisions doivent être prises immédiatement et ne peuvent souffrir d'être remises au lendemain. Dans ces cas, les acteurs vont se retrouver dans l'une ou l'autre des positions de notre graphique en choisissant, consciemment ou non, l'une des stratégies suivantes : l'évitement, la conciliation, le compromis, l'écrasement ou le partenariat.

1. L'évitement

Imaginons une entreprise familiale gérée par son fondateur et où les trois enfants, tous membres de l'organisation, souhaitent clairement devenir président. Il y a des années que le choix aurait dû être fait, mais il a toujours été repoussé et on sent maintenant poindre l'impatience dans le comportement de l'un d'entre eux.

Que se passerait-il si le fondateur décédait maintenant, laissant « généreusement » l'entreprise à son épouse (il veut faire un roulement[2] pour éviter l'impôt) ? Que lui laisse-t-il, en réalité, si ce n'est une situation hautement explosive qui brisera probablement la famille en même temps que la compagnie ?

Prenons encore l'exemple du fondateur d'entreprise qui sait pertinemment que son frère, à l'emploi de la société, est mauvais vendeur et qu'il mine le moral de toute l'équipe des ventes. Que penser de lui s'il décide, pour éviter les chicanes de famille, de ne rien faire à son sujet et de laisser le temps régler le problème ?

L'évitement, utilisé comme stratégie de résolution de conflit, correspond au quadrant sud-ouest de notre graphique. Il ne produit que des perdants. En voulant éviter de faire face immédiatement à la source du problème, on lui permet de se développer encore plus et on met en péril toute l'organisation. C'est la pire des stratégies, mais c'est également la plus utilisée.

2. La conciliation

Ce terme englobe un spectre très large de stratégies qui peuvent aller du simple accommodement au chantage le plus immonde. Dans tous les cas, la conciliation se retrouve au quadrant sud-est de notre graphique et implique une relation perdant-gagnant.

2. Un roulement est un transfert de biens en franchise d'impôt. Les biens sont réputés avoir été acquis par celui qui les reçoit au prix de base rajusté de celui qui les transfère. L'impôt ne sera payable que le jour où la personne qui a reçu les biens en disposera à son tour.

Il peut s'agir de la fille du fondateur qui insiste pour que son mari obtienne un poste à la direction, sans quoi elle déménagera avec lui dans une autre ville. Le fait d'accepter une telle proposition, si le gendre n'est pas compétent, constitue une relation perdant-gagnant. Les autres membres de la famille s'insurgeront et les subalternes du nouvel arrivant ne tarderont pas à saboter ses efforts.

Il peut également s'agir de l'augmentation de salaire que l'on accepte à contrecœur de consentir à son meilleur vendeur à la veille d'une importante campagne publicitaire. Le vendeur est certes gagnant à court terme, mais une utilisation abusive de ce mode de résolution de conflit se traduira inévitablement par son remplacement.

L'évitement et la conciliation ne peuvent être des modes satisfaisants à moyen ou à long terme pour résoudre un problème parce qu'ils impliquent un renoncement envers ses intérêts propres. À ce titre, un abus entraînera inévitablement des mesures de représailles et dégénéreront probablement en une augmentation graduelle des hostilités.

3. Le compromis

Dans ce mode de résolution de conflit, personne n'est vraiment gagnant ou perdant. Chacun fait son bout de chemin et la solution trouvée, même si elle n'est pas vivable à long terme, n'entraînera pas de représailles plus tard.

L'exemple-type du compromis est la convention collective. Dans un premier temps, patronat et syndicat présentent leurs demandes. Chaque parti trouve que l'autre exagère fortement. On s'assoit à la table de négociation et on en ressort, le lendemain ou six mois plus tard, avec un accord où chacun a mis de l'eau dans son vin et pense avoir obtenu le maximum, compte tenu des besoins des employés et de la survie de l'entreprise.

Voici un autre exemple, plus familial, du compromis. Un fils, persuadé de ses talents en gestion de projet, exige d'être nommé responsable du projet d'agrandissement de l'entrepôt principal. Le fondateur, qui doute de l'habileté de son fils à mener à terme le projet, ne désire cependant pas nuire au climat de travail. Il pourrait alors accepter de nommer le fils directeur des travaux en autant que ce dernier accepte comme adjoint une personne hautement qualifiée.

Chacun satisfait partiellement ses besoins tout en garantissant à long terme que sa bonne volonté ne soit pas remise en question.

4. L'écrasement

Il s'agit de la situation où le supérieur (père), usant de sa situation de pouvoir, oblige son subordonné (fils ou fille) à accepter une solution qui ne fait pas son affaire. Cette stratégie se rapporte au quadrant nord-ouest de notre graphique et crée une situation gagnant-perdant.

C'est de l'autocratie à son meilleur et de la dictature en pleine action. Le plus fort décide de privilégier ses intérêts personnels et crée ainsi des tensions génératrices de conflits. Souvent, s'il avait pris le temps d'expliquer son point de vue, il aurait pu s'allier ceux qu'il opprime.

5. Le partenariat

Revenons à l'Imprimerie Ledoux, notre mise en situation du premier chapitre. Si Denis et Michel se rendent compte que leurs comportements actuels nuisent à la rentabilité de l'imprimerie et que, à moyen terme, c'est leur héritage qui est en jeu, ils auront tôt fait de se trouver des objectifs communs qui favorisent la collaboration.

Dès ce moment, l'amélioration du climat de travail sera amorcée.

C'est la collaboration et la participation. Ce mode renvoie au quadrant nord-est du graphique et donne une situation gagnant-gagnant. Celui qui a recours à ce mode de résolution de conflit croit fermement à la synergie du groupe et recherche tout autant la satisfaction de ses besoins que ceux de l'autre personne.

C'est la stratégie idéale à moyen et à long terme parce qu'elle ne frustre pas le décideur et n'indispose pas les autres. Chacun y trouve son compte, mais, contrairement au compromis qui impliquait un sacrifice de part et d'autre, le partenariat change les attitudes vis-à-vis de la situation et annule le sentiment de sacrifice.

On trouve un élément commun chez tous ceux qui règlent les conflits de cette façon : c'est le partage de la vision. Ils savent communiquer les objectifs et l'information, ce qui aura pour conséquence de focaliser les efforts vers un but et un idéal commun.

LE PARTAGE DE LA VISION

Il y a de cela plusieurs siècles, alors que le Sahara était encore un luxuriant jardin, un vieux et riche marchand fut visité en songe par une ravissante déesse qui lui ordonna de bâtir un temple à son nom pour que tous puissent l'adorer et lui témoigner son obéissance. S'il ne le faisait pas, la sécheresse envahirait ses terres et il perdrait toutes ses possessions.

Bigueboss (c'était son nom) était pieux. Si la déesse souhaitait un temple, elle l'aurait. Mais il ne voulait pas que tout le monde sache ce qu'il voulait faire de peur que Dentlongue, son banquier, ne rappelle sa marge de crédit et que ses copains de la chambre de commerce croient qu'il était tombé sur la tête. Il procéderait donc par étape et ne débuterait la construction que le jour où il aurait assez de pierre pour terminer le temple en un temps record.

Par la force de son charisme, il réunit une poignée de gens qui commencèrent la taille des pierres. Tous voulaient travailler pour lui parce qu'ils sentaient qu'ils avaient affaire à un visionnaire. Toute la journée, ils taillaient les pierres et les entassaient dans un champ que leur avait désigné Bigueboss.

Les années passèrent. Les enfants des premiers tailleurs de pierre se joignirent à l'équipe. Quand ils demandaient à leurs parents pourquoi ils devaient tailler toutes ces pierres, les parents répondaient en parlant de Bigueboss. Paraît-il qu'il avait eu un songe et qu'une déesse avait exigé qu'on taille des pierres.

Un peu plus tard, Bigueboss mourut et ses enfants reprirent l'affaire. Ils ne savaient rien du songe, mais leur père ayant toujours été considéré comme un génie de la finance, ils se dirent qu'il y aurait sûrement bientôt une pénurie de blocs de pierre, sinon leur père ne se serait pas engagé dans ce travail. Ils engagèrent encore plus de tailleurs.

On décida bientôt de cesser la culture sur un autre champ pour y entreposer les nouveaux blocs. Les stocks augmentaient et tout était capitalisé au bilan. Ça allait bien.

Flairant la bonne affaire, d'autres riches marchands se lancèrent dans la taille de blocs. Ils ne voulaient pas être en reste. Cet afflux de nouveaux blocs de pierre fit cependant baisser la valeur des stocks et, à ce moment, les enfants se demandèrent ce qu'ils faisaient. L'un deux avait suivi son MBA avec l'un des conseillers du pharaon et il exerça des pressions pour que l'État vienne à son aide, insistant sur le fait qu'il fournissait du travail à la majorité des tailleurs de pierre de la région.

Le pharaon décida alors de se porter acquéreur des stocks pour faire construire une pyramide à sa gloire. Ce qui fut fait. La déesse, qui attendait toujours son temple, s'en offusqua et c'est à ce moment que survint la sécheresse. Bientôt, tous ces gens furent réduits au nomadisme. Les champs se vidèrent, les fruits séchèrent et le bonheur disparut.

LES DIVIDENDES DE LA VISION PARTAGÉE

Bigueboss avait été un visionnaire, mais il n'avait pas su communiquer sa vision. Or, une vision qui n'est pas partagée reste un songe, un rêve.

Nous avons vu précédemment que l'ignorance est une source importante de chicane. Ne pas savoir où se dirige l'entreprise, ne pas connaître les objectifs à long ou à court terme et ignorer les raisons qui justifient telle ou telle politique administrative ne peuvent que mener à une multiplicité d'objectifs personnels, qui tôt ou tard, entrent en conflit les uns avec les autres.

Si vous voulez limiter les chicanes dans votre organisation et dans votre famille, n'ayez pas peur de communiquer vos objectifs et vos rêves. Vous y trouverez au moins cinq avantages.

1. **Vous saurez mobiliser les gens.** Plus que d'une augmentation de salaire, les employés ont besoin de savoir où ils vont. S'ils savent que l'entreprise est gérée en fonction d'objectifs définis, les secousses mineures ne créeront pas de situations conflictuelles parce que l'attention sera moins concentrée sur le quotidien et que la vision des acteurs organisationnels sera plus globale. Mais quand vous ne connaissez pas la forêt, le moindre arbre est suspect.

2. **Vous stimulerez l'action.** Comment voulez-vous qu'un employé ou un enfant qui a terminé sa tâche fasse preuve d'initiative s'il ignore où se dirige l'entreprise ? Et s'il le fait, croyez-vous qu'il agira au mieux ? Les employés peuvent sembler incompétents, mais derrière cette incompétence se cachent souvent des employés volontairement gardés dans l'ignorance.
3. **Vous encouragerez la loyauté.** Il est beaucoup plus naturel de suivre un leader qui sait où il va. Une vision partagée éliminera les hésitations et les faux-pas et attirera le respect de ceux qui n'aiment pas naviguer à l'aveuglette.
4. **Vous guiderez la prise de décision en temps de crise.** Le vendeur qui sait jusqu'où il peut aller ne sera pas toujours sur vos talons pour avoir un meilleur prix. Le préposé au service, s'il sait que la satisfaction du client constitue une priorité, n'hésitera pas à changer un produit défectueux. S'il croit au contraire que c'est la réduction des coûts qui importe, il fera traîner l'affaire en espérant que le client se découragera.
5. **Vous créerez une tradition et peu à peu une culture forte émergera.** De cette façon, votre présence continuera de planer sur l'organisation même quand vous serez absent. La mission deviendra un mécanisme de régulation parmi les employés et ils seront en mesure d'assumer une part plus grande des tâches journalières, vous laissant du temps pour la planification et la gestion stratégiques.

Dans tous les cas, si la vision des dirigeants n'est pas communiquée, la survie de l'entreprise est laissée à la chance. Un énoncé de mission ou un *credo* corporatif communiqué du bout des lèvres ne vous aidera pas non plus. Votre gestion quotidiennne doit montrer que vous savez où vous allez et que chacun des gestes que vous posez en tiennent compte. Les employés et les enfants ont l'œil sur vous et savent décrypter les signaux que vous leur envoyez, consciemment ou non.

UN DANGER : L'ENTENTE ABSOLUE

Quand les premiers réfrigérateurs sont apparus sur le marché, ils mettaient en péril la survie des fabricants de glacières et le travail des marchands de glace. Une industrie naissante porte souvent en elle le germe de la destruction d'un autre groupe industriel.

Croyez-vous que les fabricants de glacières décidèrent de fabriquer des réfrigérateurs pour bénéficier des retombées financières qu'engendrerait cette invention ? Pas du tout.

Tous étaient d'accord pour dire que leur produit était supérieur et que les réfrigérateurs n'avaient aucun avenir. Pourtant, ils possédaient les réseaux de distribution et l'infrastructure qui aurait pu contrecarrer les projets de n'importe quel frigoriste naissant.

Dans certaines entreprises familiales, la peur de la chicane et la stratégie d'évitement deviennent souvent tellement fortes que personne ne cherche à soulever de vagues. Le *statu quo* devient alors l'objectif principal et tous s'ingénient à ne rien remettre en question. C'est l'entente absolue. Une entente idyllique qui cache de sérieux dangers.

Il en va autrement dans l'entreprise publique à cause du pouvoir de révision des actionnaires. Si la direction de l'entreprise n'évolue pas avec le reste de la société, si elle laisse passer des occasions tout en s'entêtant à conserver des politiques désuètes, les actionnaires peuvent changer le P.-D.G. N'essayez pas, si vous souhaitez conserver votre emploi, de faire la même chose dans une entreprise familiale !

La famille vit repliée sur elle-même et se berce des douces illusions qu'amène la notion de clan (le clan est fort, nous n'avons peur de rien, nous nous suffisons à nous-mêmes). Ce faisant, elle limite ses contacts avec l'extérieur et a tendance à sous-estimer tout ce qui se passe dans son environnement (nous n'avons jamais fait faillite, pourquoi changer notre mode de gestion aujourd'hui ? Nous avons toujours travaillé comme ça et personne n'a eu à le regretter).

Cette attitude annihile toute initiative (si je le fais sans en parler, ils vont bouder pendant deux semaines) et émousse les facultés créatives du rêveur le plus génial. Retenez donc qu'il n'est pas si glorifiant qu'il n'y paraît de ne jamais connaître de conflits dans son organisation.

Si le monde était statique, et si nous avions la conviction absolue que demain sera comme hier et que le mois prochain se passera comme le mois dernier, cette attitude pourrait avoir un sens. Mais les jours se suivent et ne se ressemblent pas. Entretenir des attitudes passéistes et refuser le changement ont été à la base de plusieurs disparitions d'entreprises. Vous ne souhaitez pas que cela arrive à la vôtre.

Entretenez cette flamme créative et gérez de bonne grâce les conflits qui ne manqueront pas de naître. Ce n'est pas un signe de faiblesse ; c'est une preuve de vitalité. Ce n'est pas un manque de leadership, c'est la preuve de votre recherche de synergie et de constante amélioration.

Si un nouvel employé arrive avec une idée complètement idiote, ne la rejettez pas du revers de la main. Écoutez attentivement, remerciez-le et demandez-lui de revenir vous voir dès qu'une nouvelle idée naîtra. Petit à petit, si les idées et les suggestions apprennent à voyager au sein de votre entreprise, un portrait global se dessinera et vous aurez peut-être, en un éclair, l'idée qui révolutionnera votre industrie.

Ne laissez pas mourir la flamme au profit d'une paix artificielle.

À VOUS DE JOUER

Cette section vous permettra de travailler à l'aide des concepts que nous venons d'étudier. Dans un premier temps, analysez un ou deux conflits vécus dernièrement et, dans un second temps, devenez ce catalyseur, cet agent de changement qui, par les questions qu'il soumettra, saura provoquer des remises en question et amènera le renouveau dans l'organisation.

Ce qui sortira de ces exercices devrait être partagé. Ce n'est pas l'individu que nous souhaitons changer ici, mais le processus relationnel qu'il entretient avec son environnement de travail. Le simple fait que vous preniez conscience du mode d'interaction entre les personnes transformera vos contacts avec les autres.

Premier exercice. Dans un premier temps, prenez une feuille de papier et écrivez une situation conflictuelle vécue au travail cette semaine. Ne vous donnez pas le bon rôle si vous ne le méritez pas. Le but ici n'est pas de savoir qui avait raison et qui avait tort, mais bien de mieux comprendre comment vous avez agi avec votre ou vos interlocuteurs et comment cette relation aurait pu être améliorée. Répondez aux questions suivantes.

Vous voyez probablement cet événement sous un jour nouveau et je crois que vous agiriez d'une manière différente si l'événement se représentait. Le simple fait de prendre conscience de nos mécanismes d'interactions modifie nos attitudes en cas de désaccord.

Tableau 1.3

MISE EN SITUATION

1. La chicane impliquait quelles personnes ?
2. Y avait-il une relation de supérieur à subordonné ou d'égal à égal ?
3. Quelle était la cause de la chicane ?
   a) l'ignorance
   b) l'incompatibilité des objectifs
   c) l'attitude de votre interlocuteur
   d) votre attitude
   e) une confusion entre les objectifs personnels de votre interlocuteur et ceux de l'entreprise
   f) une confusion entre vos objectifs personnels et ceux de l'entreprise
4. Lequel des cinq comportements avez-vous utilisé ? Nommez-le.
5. Lequel des cinq comportements votre interlocuteur a-t-il utilisé ? Nommez-le.
6. Quelle a été l'issue de la chicane ?
   a) l'écrasement
   b) le partenariat
   c) le compromis
   d) l'évitement
   e) la conciliation
7. Auriez-vous pu utiliser une meilleure stratégie ?
8. Le dénouement aurait-il pu être meilleur pour l'entreprise ?
9. Votre interlocuteur partage-t-il, selon vous, votre perception des objectifs à long terme de l'entreprise ?

Second exercice. Cet exercice vise à vous sortir de la routine quotidienne et à vous transformer en inquisiteur. Regardez votre entreprise comme un entomologiste, un spécialiste des « bibites » qui examinerait, dans la jungle amazonienne, un spécimen particulièrement intéressant de scarabée. Regardez chaque dimension proposée. Demandez-vous s'il existe d'autres façons de faire ce que vous faites déjà.

Tableau 1.4

MISE EN SITUATION

1. Êtes-vous davantage préocupé par le maintien de votre position sur le marché ou par la recherche de nouveaux marchés ?
2. À quand remonte votre dernière étude du taux de satisfaction de votre clientèle ?
3. Une expansion géographique vous permettrait-elle, en multipliant les postes de direction, de combler le besoin de pouvoir de la génération montante ?
4. Y a-t-il des gens qui sont payés à ne rien faire dans votre organisation ou dont le rendement insatisfaisant est comblé par un lien de parenté ?
5. Si le président actuel décédait, les liquidités disponibles seraient-elles suffisantes pour payer les impôts ?
6. Qui assumerait la présidence ?
7. Y a-t-il une activité déficitaire que vous auriez intérêt à interrompre ?
8. Où prévoyez-vous que l'entreprise se situera dans cinq ans ?
9. Une partie de vos activités pourrait-elle être donnée en sous-traitance ?
10. Les assemblées générales annuelles ont-elles vraiment lieu ou vous fait-on simplement signer des résolutions préparées par le comptable ?
11. Un de vos compétiteurs semble-t-il affaibli et serait-il tenté par une proposition d'achat de votre part ?

Questionnez-vous sur ce que vous et tous les membres de l'organisation tenez pour acquis. Si une question vous frappe particulièrement, partagez-la au travail. Soumettez-la et attendez les réactions. Prenez conscience de l'attitude que prendront vos enfants et les autres employés et essayez d'identifier (évitement, conciliation, etc.) leurs réactions.

CHAPITRE 2

RÉGLONS NOS CHICANES

Après avoir vu les causes et les réactions possibles face à une chicane, demandons-nous maintenant comment l'utiliser pour faire grandir l'entreprise et améliorer les liens qui unissent ses membres. Après une courte mise en situation, nous parlerons de l'équivalent contemporain du docteur Jekyll et de M. Hyde : le membre d'une entreprise familiale. Nous aborderons ensuite le processus de résolution de conflit étape par étape.

LA LIBRAIRIE BEAUSOLEIL INC.

C'est le vendredi 26 août que M. Beausoleil explosa de rage. Un client lui avait tout d'abord demandé un titre qu'il n'avait pas en stock, puis un autre avait exigé une remise plus importante sur ses achats étant donné qu'une autre librairie offrait 20 % à ses clients corporatifs. Le premier s'était fait répondre poliment, mais le second n'avait pas eu cette chance.

Après lui avoir fait comprendre très directement que s'il voulait acheter ailleurs, le commerce s'en porterait mieux, M. Beausoleil avait raccompagné le client à la porte et l'avait poussé dehors sans lui demander son reste. « Votre compte est fermé. Ça achète pour deux dollars, ça demande des reçus, ça paie à 40 jours et ça voudrait une meilleure remise ! Pas question ! »

Une fois le client parti, il s'était retourné et avait jeté un long regard circulaire sur le commerce. Tous semblaient occupés et l'incident était clos. Tremblant et confus, M. Beausoleil annonça à la caissière qu'il prenait la soirée et il partit brusquement.

Trois heures plus tard, après une cinquième bière, il se demandait encore ce qui pouvait s'être passé. Comment en était-il venu là, lui si affable avec les clients ? Se pouvait-il qu'il ait besoin de vacances, lui qui n'en avait pas pris depuis bientôt 10 ans ?

Comme il lui semblait loin le temps béni où l'entreprise, bien que plus petite, rapportait un bénéfice annuel supérieur pour moins de soucis. Comme elles lui semblaient ridicules les crises qu'il avait traversées pour bâtir l'entreprise. À cette époque, il n'avait que deux employés et connaissait tout par cœur : l'inventaire, les fournisseurs, les clients, les chiffres de vente, la marge bénéficiaire et les employés. Il connaissait le nom de leur conjoint, celui de leurs enfants et leurs dates de naissance. Il arrivait à tout faire et il lui restait du temps pour s'occuper de sa famille.

Ce n'était plus le cas. Le commerce avait prospéré. Il avait maintenant une trentaine d'employés et trois succursales, le nombre d'éditeurs avait grossi, les clients étaient plus exigeants. Il arrivait difficilement à rester en contact avec eux parce que les achats, la gestion des comptes clients et la comptabilité prenaient une part si importante de son temps que celui passé à prendre le pouls de la clientèle devait maintenant être pris sur les moments qu'il consacrait autrefois à sa famille.

La source de la crise d'aujourd'hui, M. Beausoleil en prenait maintenant conscience, tirait son origine du départ, il y a deux mois, de deux employés. Ils avaient été mis à la porte parce qu'il les soupçonnait de vol. M. Beausoleil avait décidé de ne pas leur trouver de remplaçants tout de suite ; il s'occuperait plutôt lui-même des ventes dans la librairie. Cela lui permettrait de reprendre contact avec ce qu'il aimait par-dessus tout, et ce qui avait été à la base de son succès en affaires : le contact avec les clients.

Mais on a beau s'appeler Superman, cumuler le travail de deux employés, quand on s'est en plus réservé exclusivement la tenue des livres comptables et le contrôle des achats, tient du miracle. Un miracle qui, dans son cas, avait quand même duré 54 jours, 54 jours pendant lesquels il avait dû négliger certaines activités.

Ce matin, son épouse lui avait reproché ses absences fréquentes et son comportement colérique à la maison. Le courrier lui avait révélé une amende imposée par le ministère du Revenu parce qu'il avait posté ses formulaires de retenues à la source trois jours en retard. Finalement, un distributeur avait refusé un retour de livres parce que la période de consignation s'était terminée la semaine précédente.

M. Beausoleil s'était senti désemparé. Comment lui, qui avait toujours été reconnu pour son sens aiguisé des affaires, pouvait-il faire autant d'erreurs dans un temps aussi court ? Il ne savait plus comment reprendre le dessus.

Il lui fallait faire le rapport de taxe de vente, s'assurer que certains livres soient retournés dans les temps requis, faire paraître une annonce pour finalement remplacer les deux employés mis à la porte et mettre de l'ordre dans ses affaires personnelles. M. Beausoleil en était toujours à se demander ce qu'il allait faire en premier quand le client était venu se plaindre de sa remise sur achats.

C'était l'exutoire dont il avait besoin, mais qu'il n'osait réclamer à personne. En quelques secondes, M. Beausoleil avait senti son visage rougir et la transpiration apparaître sur son front. Son cœur s'était emballé et, en une fraction de seconde, la réponse lui avait semblé évidente : si ce client n'aimait pas le montant de la remise, il n'avait qu'à aller voir ailleurs. Il se chargerait de lui faire passer le message.

M. Beausoleil sourit quelques instants, puis éclata de rire. Le système de sécurité l'avait peut-être filmé lors de l'expulsion. Ça vaudrait la peine de regarder la cassette. Ce n'était peut-être pas la meilleure façon de garder ses clients, mais ça faisait du bien « en maudit ! »

LES 4 RÔLES DE L'ENTREPRENEUR

Certains clients de longue date ou des fournisseurs attitrés depuis plusieurs années se targuent de bien connaître un entrepreneur, tandis que d'autres croient le connaître à cause des liens filiaux. Comment ne pas bien connaître quelqu'un que l'on rencontre tous les jours, ou presque, depuis sa naissance ?

Figure 2.1

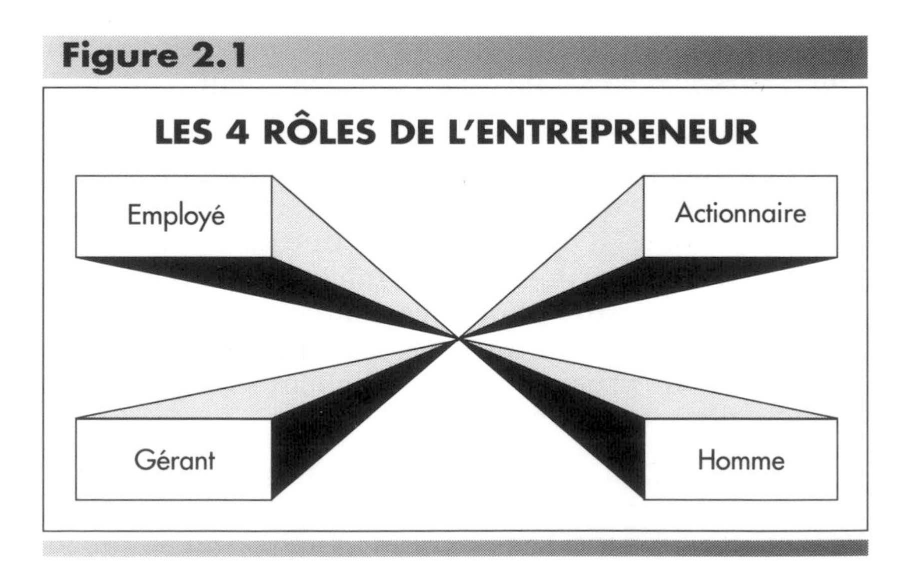

Mais dans les faits, même l'entrepreneur ne se connaît pas. Il vit, agit et réagit au rythme de son environnement et traverse les journées sans même se rendre compte que le temps fuit. Il souffre, tout comme les autres membres de la famille, d'une multiplication de la personnalité.

En fait, comme le démontre le graphique ci-joint, ce n'est pas une, mais plusieurs personnalités qui cohabitent à l'intérieur de l'entrepreneur. Ce dernier change de rôle au fil des événements, sans souvent s'en rendre compte. Ce qu'il est dépend donc du lieu et du moment où vous le rencontrez et vous ne pouvez jamais présumer que dans une situation nouvelle, il se comportera suivant ses réactions habituelles.

Il joue tour à tour les rôles d'employé, d'actionnaire, de gérant et d'homme. M. Beausoleil, dans notre mise en situation, est passé par ces quatre rôles. Voyons ce qu'il en est.

Le rôle d'« homme » est le premier à se développer ; nous avons tous besoin de manger, de dormir, d'aimer et d'être aimé. C'est une dimension qui ne peut être ignorée longtemps et qui souffrira d'être négligée. C'est également cette dimension qui fait apprécier à M. Beausoleil ce geste qu'il a commis et qui ne peut manquer de nuire à son commerce.

Le rôle d'« employé » est souvent le plus important pour l'entrepreneur. C'est parce qu'il était doué pour une tâche particulière (vendre, acheter, planter des clous, utiliser un ordinateur) qu'un entrepreneur s'est lancé en affaires. Au début, comme il est souvent le seul employé, il doit tout faire et c'est précisément ce qu'il aime. C'est généralement un technicien et la bureaucratie lui déplaît.

Vingt ans plus tard, si une pièce de machinerie est défectueuse ou si un employé ne se présente pas au travail, il sera souvent agréable à l'entrepreneur de retrouver sa machine et son travail d'antan. Il en est ainsi de M. Beausoleil, qui a comblé de bon cœur les postes laissés vacants par les deux employés congédiés.

Le rôle de « gérant » est le suivant à entrer dans la vie de l'entrepreneur. L'entreprise a grandi et il faut engager des employés. Le temps est venu de superviser au lieu d'exécuter, et cette transition est très difficile à faire (certains ne la feront jamais) parce que l'entrepreneur est souvent le plus compétent du groupe. Il travaille mieux, plus rapidement que les autres, et il ne se gêne pas pour leur dire. Pour M. Beausoleil, être gérant, c'est remplir les rapports de taxe et les transmettre au Gouvernement.

Puis un jour, sur les conseils de son comptable, pour diminuer ses responsabilités juridiques et profiter de la déduction fiscale accordée à la petite entreprise, l'entrepreneur décide de s'incorporer. Il n'est plus simplement propriétaire d'entreprise ; il est devenu propriétaire d'une entreprise. Il est dorénavant un « actionnaire » et ses préoccupations vont changer.

L'entrepreneur se demande alors si les profits que dégagent les activités rapportent un retour sur investissement suffisant. Peut-être devrait-il vendre et s'en aller vivre en Floride ? Peut-être devrait-il changer de domaine ? Ou peut-être devrait-il réinvestir et ajouter une gamme de produits ou ouvrir une succursale dans une autre localité ? Toutes ces décisions sont à caractère stratégique, en opposition aux décisions opérationnelles du gérant et de l'employé.

C'est ainsi que l'entrepreneur passe son temps. Trois dimensions de son être ont pour tâche de travailler et la quatrième sert à entretenir son corps pour qu'il travaille davantage. Le temps que l'entrepreneur décide d'allouer à tel ou tel rôle découle de sa propre décision. Personne n'a statué sur l'utilisation de son temps. C'est pourquoi certains entrepreneurs s'entêteront à rester gérants ou employés et ne se préoccuperont jamais de la dimension stratégique. Pour eux, le rôle d'actionnaire n'a aucun attrait. Ce qu'ils aiment, c'est vendre un livre, réparer un camion, livrer un meuble.

Pris dans leur travail, les entrepreneurs se rendent rarement compte de leurs besoins d'homme. Ils en deviendront conscients quand la maladie les frappera ou le jour où leur conjoint les quittera. Mais il sera souvent trop tard.

Bien sûr, certains avertiront l'entrepreneur (« Ne te fatigue pas autant. Fais attention à toi. »), mais il préférera entretenir l'illusion qu'il est indispensable à l'organisation et il fera en sorte de l'être. Des contrats seront verbaux, les dossiers resteront surtout dans sa tête, l'accès aux renseignements financiers sera fermé et ses objectifs à long terme, le rêve qu'il caresse à propos de l'entreprise, ne seront jamais communiqués aux autres. Il est donc facile de comprendre la difficulté qu'éprouveront les enfants quand ils prendront la relève.

Le conflit intrapersonnel

C'est le conflit qui survient quand il y a désaccord ou friction entre les quatre rôles que nous venons de décrire. Si, par exemple, votre côté « gérant » vous suggère de garder une partie de la taxe de vente pour financer la croissance, tandis que votre côté « homme » vous rappelle que ce geste est absolument contraire à vos convictions les plus profondes, rien ne nous dit à l'avance laquelle des deux facettes l'emportera. Le résultat du match peut même aller à l'encontre de vos intérêts à long terme. Cette ambivalence résulte de l'interaction des quatre facettes de votre être et peut survenir quelle que soit votre occupation.

Ce conflit n'est pas réservé à l'entrepreneur. Si un employé se voit confier une tâche qui va à l'encontre de ses principes moraux et qu'il souhaite conserver son emploi, il y aura conflit intrapersonnel. S'il vit des difficultés monétaires et que son supérieur lui offre de faire des heures supplémentaires le soir de son anniversaire de mariage, il y aura conflit intrapersonnel.

Tableau 2.1

MATRICE DE LA GESTION DU TEMPS

	Urgent	**Pas urgent**
Important	Crises, problèmes pressants, derniers délais	Prévention, analyse de nouvelles occasions, planification, création de liens, récréation
Pas important	Interruptions, téléphones, correspondance, réunions, activités populaires	Perte de temps, activités plaisantes et inutiles, travail « pour passer le temps »

Ces chicanes produisent un malaise qui doit être soulagé. L'être humain utilise habituellement l'une ou l'autre des trois solutions suivantes : la fuite face au conflit, la rationalisation subjective ou l'alignement par rapport aux objectifs personnels et à l'échelle des priorités qu'une personne s'est fixés. Examinons ces trois méthodes.

- **La fuite face au conflit.** C'est le pendant intrapersonnel de la stratégie d'évitement et le premier réflexe. Pourquoi ne pas s'enliser dans des activités qui occupent énormément même si elles ne sont pas très importantes? Ainsi occupés, nous aurons toutes les raisons d'ignorer ce que nous venons de faire ou avons résolu d'oublier. Pour bien comprendre, jetons un coup d'œil au tableau présentant la matrice de la gestion du temps.

Celui qui décide d'ignorer un conflit intrapersonnel se réfugiera dans le quadrant sud-ouest de la matrice. Il se préoccupera presque exclusivement des activités qui, bien qu'urgentes, ne sont pas importantes.

C'est ainsi que l'on bourre notre agenda d'activités superflues et qu'on n'arrive pas à trouver le temps requis pour s'occuper de ce qui nous chicoterait vraiment si on s'arrêtait un moment pour souffler. C'est la fuite dans la futilité, le refus de faire face à ce qui est important.

On comprendra que l'usage immodéré de cette tactique est un gage d'appauvrissement, autant pour la personne qui la pratique que pour l'organisation qui l'emploie. C'est un gaspillage éhonté.

– **La rationalisation subjective.** C'est la justification à outrance pour trouver le repos de l'âme. Dans notre exemple du début, il suffit de considérer le gouvernement comme un voleur et vous vous sentirez justifié de garder une partie de la taxe de vente dans vos poches.

C'est la philosophie qui a cours présentement dans la société québécoise quand vient le temps de parler d'activités illégales telles que la contrebande de cigarettes ou la construction de maisons individuelles à l'aide du travail au noir. Le sentiment populaire dicte que, parce que le gouvernement est trop gourmand et qu'en plus il gaspille ce qu'elle lui donne en taxes, la population est justifiée de recourir à la fraude en favorisant la croissance de l'économie souterraine.

C'est également ce mode de résolution de conflit intrapersonnel que vous utilisez si par exemple votre emploi vous déplaît, mais que vous y restez en vous disant que les conditions économiques actuelles ne favorisent pas la recherche d'emploi et que « un tiens vaut mieux que deux tu l'auras ».

- **L'alignement sur les principes et les objectifs à long terme.** C'est l'équivalent de la stratégie gagnant-gagnant lors d'un conflit interpersonnel. Il constitue le mode de résolution idéal parce qu'il ne permet pas un geste que vous regretterez par la suite et qu'il favorise l'atteinte des objectifs à long terme. Il suppose cependant une introspection à laquelle la majorité des personnes ne sont pas habituées.

Cette façon d'aborder le conflit intrapersonnel exige d'abord de faire un examen de conscience du genre de celui qui vous est présenté à la page suivante. S'il est fait avec soin, vous vous retrouverez avec certains grands principes qui pourront par la suite orienter votre prise de décision quotidienne et guider vos gestes vers la réalisation de vos objectifs à long terme. Vous n'aurez plus intérêt à ignorer les conflits et vous y trouverez une confiance en vous et en vos gestes dont vous n'avez peut-être pas joui depuis la petite école.

Si vous vous prêtez à cet exercice en prenant le temps de bien répondre, vous vous doterez de points de références qui vous permettront de régler efficacement les conflits intrapersonnels à mesure qu'ils se présenteront.

PLUS ON EST DE FOUS, PLUS ON CRIE

Si l'équilibre est difficile à maintenir quand on est seul, imaginez ce qu'il peut en être dès qu'on est plusieurs. Le graphique suivant nous indique le nombre de relations

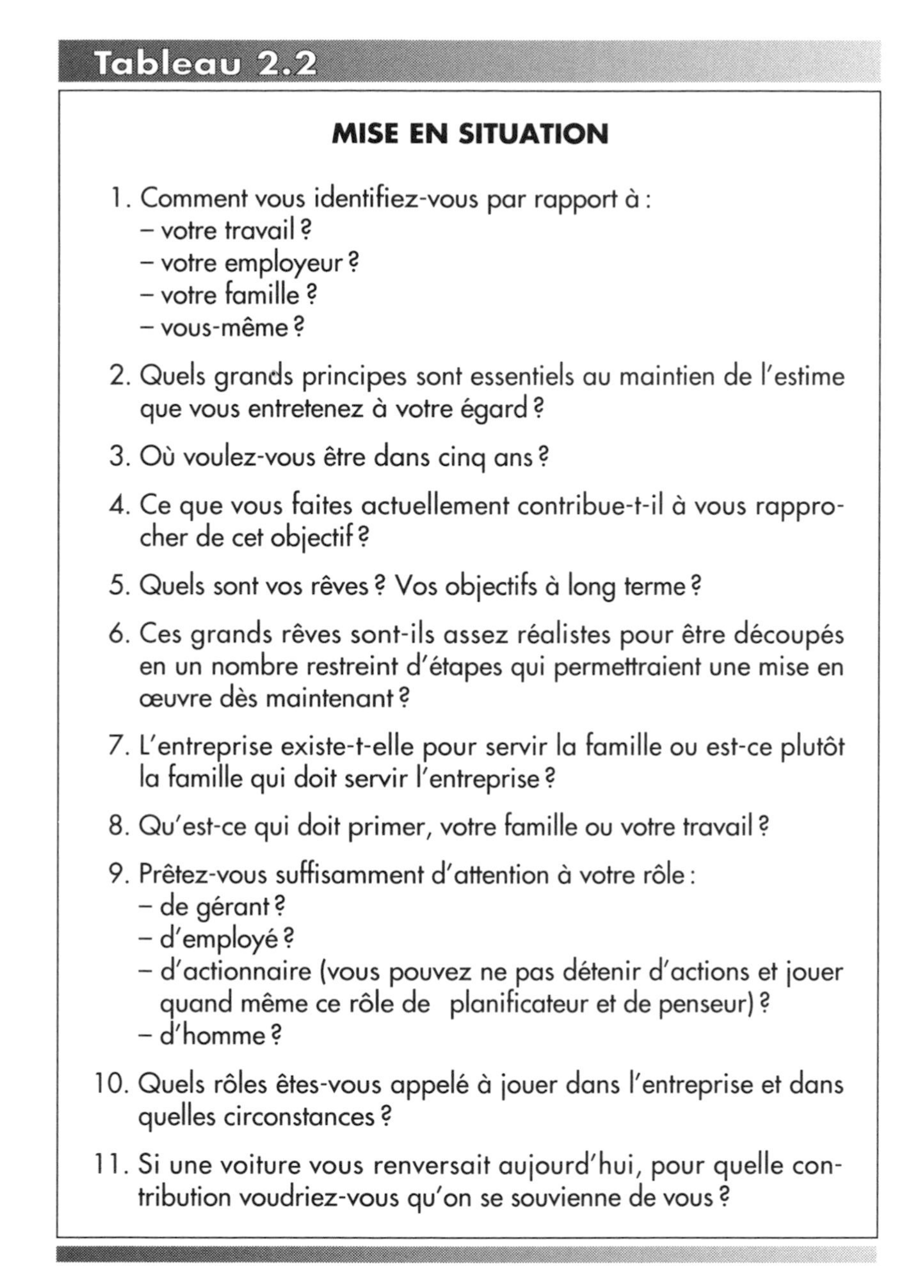

Tableau 2.2

MISE EN SITUATION

1. Comment vous identifiez-vous par rapport à :
   - votre travail ?
   - votre employeur ?
   - votre famille ?
   - vous-même ?
2. Quels grands principes sont essentiels au maintien de l'estime que vous entretenez à votre égard ?
3. Où voulez-vous être dans cinq ans ?
4. Ce que vous faites actuellement contribue-t-il à vous rapprocher de cet objectif ?
5. Quels sont vos rêves ? Vos objectifs à long terme ?
6. Ces grands rêves sont-ils assez réalistes pour être découpés en un nombre restreint d'étapes qui permettraient une mise en œuvre dès maintenant ?
7. L'entreprise existe-t-elle pour servir la famille ou est-ce plutôt la famille qui doit servir l'entreprise ?
8. Qu'est-ce qui doit primer, votre famille ou votre travail ?
9. Prêtez-vous suffisamment d'attention à votre rôle :
   - de gérant ?
   - d'employé ?
   - d'actionnaire (vous pouvez ne pas détenir d'actions et jouer quand même ce rôle de planificateur et de penseur) ?
   - d'homme ?
10. Quels rôles êtes-vous appelé à jouer dans l'entreprise et dans quelles circonstances ?
11. Si une voiture vous renversait aujourd'hui, pour quelle contribution voudriez-vous qu'on se souvienne de vous ?

possibles quand deux personnes (Pierre et Jacqueline) sont face à face. Il peut alors y avoir 16 types différents de relations, selon les rôles joués. Si nous avions un groupe de trois ou quatre personnes, le nombre d'interactions possibles deviendrait rapidement très important et nécessiterait une présence d'esprit et un désir réel d'apaiser les tensions et les conflits naissants.

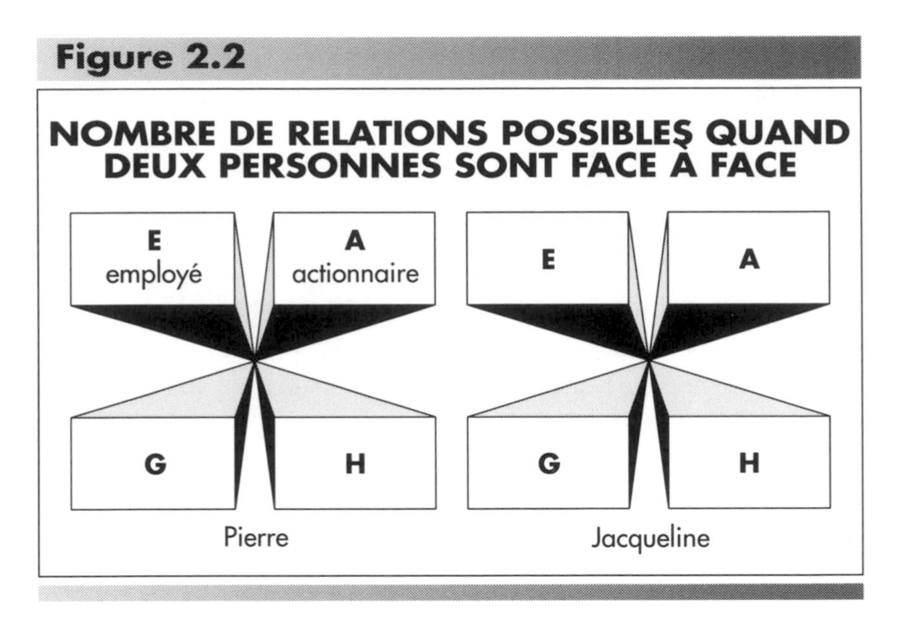

Figure 2.2

NOMBRE DE RELATIONS POSSIBLES QUAND DEUX PERSONNES SONT FACE À FACE

Mais ce ne sont malheureusement pas toutes ces interactions qui sont appropriées à toutes les circonstances, et les conflits naissent souvent de l'incapacité des gens à reconnaître la nature de leur relation avec l'autre en fonction du rôle qu'il joue à ce moment.

Ce qu'il est important de retenir, c'est qu'il ne sert à rien de tenir un rôle qui ne correspond pas à celui de votre interlocuteur. Par exemple, si vous choisissez de parler de planification à long terme (rôle de l'actionnaire) alors qu'une pièce importante de machinerie vient de tomber en panne et que le patron a enfilé son rôle d'employé, le résultat ne sera pas optimal. Vous ne parlerez pas ensemble. Vous tiendrez plutôt deux monologues.

Voici un autre exemple qui nous servira dans les pages suivantes à illustrer le mécanisme de résolution de conflit. Chantal a terminé ses études en administration il y a six mois et elle a immédiatement joint l'entreprise. On lui a tout de suite donné le titre de vice-présidente, qu'on lui promettait depuis son adolescence. Mais elle a déchanté rapidement. Les projets d'expansion qu'elle a jusqu'ici présentés ont tous été refusés. Les fondateurs semblent heureux dans la situation actuelle et n'ont aucune envie d'investir dans ce qu'ils appellent des nouvelles aventures. Hier, elle a confronté son père en disant qu'elle en avait marre de porter un titre que ses fonctions réelles ne justifiaient pas. Si elle ne pouvait pas prendre de décision stratégique, elle s'en irait. La rencontre fut un échec.

Voici pourquoi. Alors que Chantal pense avec l'œil de l'actionnaire et veut prévenir toute érosion des parts de marché, son père joue le rôle de l'humain qui songe à la retraite et est conscient que toute erreur stratégique à son âge portera un dur coup à ce qu'il appelle son « fonds de pension ».

Il faut donc être conscient du rôle joué par votre interlocuteur et déterminer si ce que vous avez à lui dire a une chance de passer le mur de l'indifférence. Si ce n'est pas le cas, vous devrez adapter votre discours à sa situation (changer de rôle pour attirer son attention) ou vous devrez l'amener à changer de rôle pendant qu'il vous écoute.

Dans tous les cas, vous ne pourrez convaincre que si vous savez attirer l'attention et imposer le respect. Ce sont les deux conditions de base. Vous saurez attirer l'attention en vous adaptant au rôle joué par votre interlocuteur et vous saurez imposer le respect en restant constamment fidèle aux principes et aux objectifs que vous avez formulés dans la section précédente.

Si vous êtes armé de l'attention et du respect de l'autre, vos capacités à agir comme agent de changement seront énormes et dépendront du mécanisme de résolution de conflit utilisé. Sans l'attention de votre interlocuteur, vous ne saurez l'encourager à trouver une solution qui vous accommodera tous les deux et sans son respect, vos arguments ne seront pas crédibles.

LA RÉSOLUTION D'UN CONFLIT EN 5 ÉTAPES

Nous l'avons dit précédemment, la stratégie d'évitement face à un conflit est l'une des pires stratégies que l'on puisse adopter. L'environnement change constamment (il n'y a que le changement qui soit permanent) et l'organisation ne peut souffrir longtemps le statisme imposé par une telle stratégie. Le mécanisme

Figure 2.3

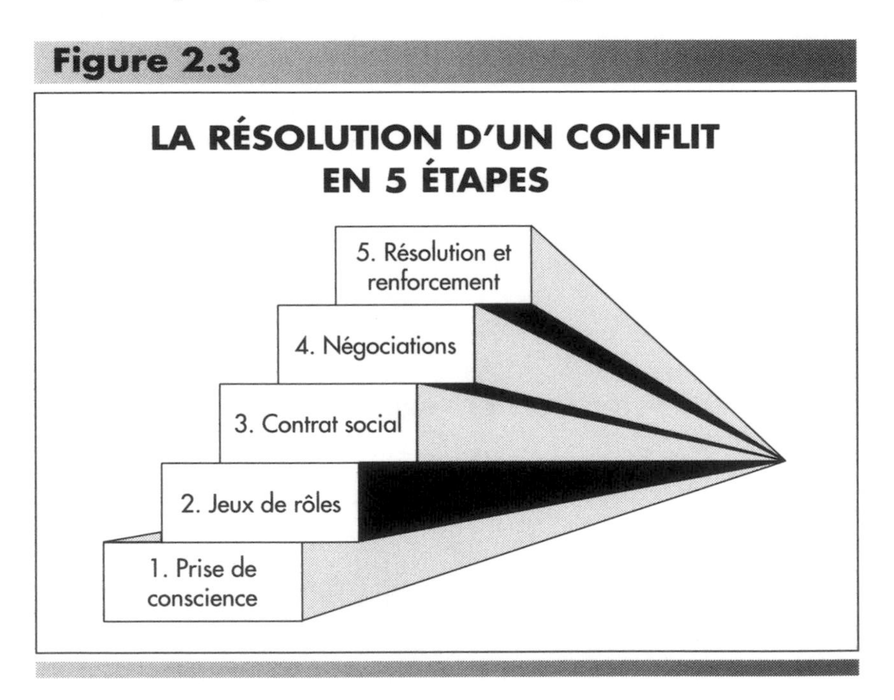

de résolution des chicanes proposé maintenant, s'il est mis en œuvre, empêchera une stratégie de retrait ou d'évitement. Par contre, il ne garantira pas dans tous les cas une situation gagnant-gagnant. Il y a en effet des circonstances qui vous pousseront à chercher une autre solution.

Comme nous pouvons le voir à la figure adjacente, notre processus comporte cinq étapes, soit la prise de conscience, les jeux de rôles, le contrat social, la négociation, la résolution du conflit et le renforcement.

Chacune de ces étapes repose sur la précédente. L'erreur la plus commune est de sauter immédiatement à l'étape quatre et d'entreprendre les négociations avant même d'avoir pris conscience des enjeux. On se prive à ce moment d'une vision globale qui pourrait rapporter énormément, tant à l'entreprise, parce que des énergies ne seraient plus gaspillées en d'inutiles batailles, qu'à chacun des membres de l'organisation, qui pourrait s'enrichir personnellement au contact de cette philosophie gagnant-gagnant.

Étape 1 : la prise de conscience. Tel un romancier qui a besoin d'un coupable, d'une victime et d'un alibi, vous avez besoin, avant de vous engager dans la résolution d'un conflit, de bien connaître les acteurs, les enjeux et le contexte. Vous ne pouvez vous lancer à l'aveuglette dans un combat à mains nues si l'autre gladiateur est puissamment armé. C'est le temps de mettre en pratique les notions acquises au premier chapitre.

Considérez le désaccord comme si vous n'étiez pas partie prenante. Vous êtes peut-être celui ou celle qui a tort. Si vous arrivez à en déterminer la cause, vous aurez toutes les chances de résoudre le conflit sans effusion de sang.

Toutes ces questions seront plus faciles à aborder si vous avez conscience des enjeux. Qu'avez-vous à

Tableau 2.3

MISE EN SITUATION

1. Quelle est la cause de cette chicane ?
2. Est-ce l'ignorance, l'incompatibilité des objectifs, les attitudes ou une confusion entre les objectifs personnels et corporatifs ?
3. Quelles sont actuellement les réactions face à la chicane ?
4. Y a-t-il évitement ?
5. Si oui, depuis combien de temps ?
6. Pourquoi n'y a-t-il pas eu jusqu'ici de compromis ou d'accord de partenariat ?
7. Quelqu'un a-t-il recours à une stratégie d'écrasement ?
8. Seriez-vous prêt à accepter la conciliation ?
9. Pouvez-vous expliquer les comportements de chacun en tenant compte de la cause pressentie du conflit ?

perdre dans le débat ? S'agit-il de gagner quelque chose ou de protéger des acquis ? Les enjeux sont-ils plus importants pour l'autre partie, en l'occurrence votre enfant ? Si tel est le cas, il se battra plus férocement. Le contexte requiert-il une réaction rapide ou peut-il perdurer encore longtemps ? S'il est beaucoup plus facile de faire bouger les gens dans une situation d'urgence, il faut éviter que la panique ne vienne gâcher tout espoir de bien gérer la crise.

Toujours dans le même exemple, Chantal doit se rendre compte que son père ne met pas en doute sa capacité de gestionnaire. Il a simplement peur de toute erreur qui pourrait nuire à sa qualité de vie pendant sa retraite. C'est à cela qu'elle devra s'attaquer.

Étape 2 : les jeux de rôles. Vous devez également vous demander quel rôle joue l'autre partie. Celui d'employé ou d'enfant ? Quel rôle jouez-vous ? Celui de l'homme, de l'actionnaire, du gérant ou de l'employé ? Ces rôles joués par les deux parties sont-ils compatibles dans la situation actuelle ? Que pouvez-vous faire pour améliorer la communication? Êtes-vous en situation d'autorité ?

La notion d'autorité est importante ici parce qu'elle déterminera souvent le sens de votre positionnement. Si vous êtes en position d'autorité et que l'autre n'assume pas le rôle souhaité, vous pourrez lui imposer un changement de rôle par une phrase du genre : « Mets-toi à ma place une minute. » Il devra quitter son rôle du moment.

Mais si vous êtes en position d'infériorité, vous devrez vous adapter et prendre le rôle qui vous permettra le plus facilement de faire passer votre message à l'autre. Il ne sert à rien par exemple de parler d'augmentation de salaire (rôle d'employé) au propriétaire qui vient de recevoir les états financiers annuels et qui fulmine dans son bureau (rôle d'actionnaire mécontent).

D'abord et avant tout, essayez de déterminer quel objectif correspond au rôle actuel de votre interlocuteur. Quelle cible commune visez-vous et quels avantages communs pourriez-vous retirer d'une clarification de la situation actuelle ? Cette finalité que vous partagez sera la base de la prochaine étape.

Comme Chantal n'est pas en situation d'autorité, elle devra s'adresser à son père en tenant compte qu'il joue présentement le rôle d'un humain vieillissant. Elle jouera le rôle de la fille préoccupée par l'avenir de ses parents.

Étape 3 : le contrat social. Il faut maintenant attirer l'attention des parties et la focaliser sur la résolution du conflit. Vous connaissez les causes de la situation qui prévaut, vous êtes conscient des réactions de chacun et des enjeux en cause. Vous avez analysé les rôles joués par chacun et vous avez ajusté votre comportement en conséquence. Le temps est de résoudre le conflit, mais tout d'abord, il faut s'assurer que l'autre est prêt à faire de même.

Annoncez-lui d'entrée de jeu que la situation actuelle vous est très désagréable et que vous aimeriez en discuter dès qu'il en aura le temps. Dites-lui comment vous concevez la situation, ce qui cause votre inconfort et pourquoi vous aimeriez voir les choses s'améliorer. Terminez en mentionnant les bénéfices mutuels que vous pourriez, selon vous, retirer d'une résolution du problème et demandez-lui s'il est prêt à trouver avec vous une solution qui fera de vous deux des gagnants.

Si c'est « non », le temps est venu de viser une solution autre que celle de gagnant-gagnant. Vous pourrez user de votre pouvoir (stratégie d'écrasement), marcher sur votre orgueil (conciliation), oublier le sujet (évitement) ou créer une alliance avec quelqu'un d'autre qui forcera votre premier interlocuteur à écouter, même si cela ne fait pas son affaire. Si c'est «oui», passez à l'étape de la négociation.

Revenons à notre exemple. Chantal pourrait aller voir son père et s'inquiéter de l'effet d'une perte de part de marché sur les revenus de retraite de ses parents. Elle pourrait sortir les prévisions qu'elle a préparées et proposer son aide en vue de trouver une solution à ce problème.

Du coup, elle attire l'attention de son père en s'attaquant directement à ses préoccupations. Ses projets d'expansion sont peut-être la solution à ce problème. Les adversaires sont devenus des partenaires ; tous deux travaillent dorénavant à une même tâche. Ils souhaitent s'assurer que l'entreprise préserve ses parts de marché.

Pour Chantal, cette décision est une occasion de s'affirmer en tant que gestionnaire, tandis que pour son père, elle permettra d'assurer ses revenus de retraite.

Étape 4 : la négociation. Vous serez surpris de la facilité avec laquelle vous viendrez à bout du problème si les trois premières étapes ont été bien préparées. Vous devriez à ce moment être d'accord sur vos objectifs communs et avoir tous les deux conscience de la situation conflictuelle.

Vous devez par la suite comparer votre perception des événements. Une solution avantageuse pour toutes les parties émergera habituellement à ce moment. Si ce n'est pas le cas, quittez-vous sur une poignée de main et planifiez une autre rencontre. Chacun aura le temps de mûrir le sujet et la prochaine rencontre aura plus de succès.

Chantal et son père vont donc dès lors travailler côte à côte pour s'assurer que l'entreprise conserve ses parts de marché. La solution retenue ne sera peut-être pas celle qu'avait avancée Chantal, mais elle sera une occasion de croissance et d'apprentissage pour nos deux partenaires. Chacun y trouvera son compte.

Étape 5 : la résolution et le renforcement. Quand vous aurez trouvé une solution, terminez l'entrevue en résumant la situation du départ, la discussion que vous avez eue, la conclusion et les bénéfices que vous retirerez tous les deux de la résolution du conflit qui prévalait.

Remerciez votre interlocuteur et promettez-lui que s'il survenait un autre problème, vous n'hésiteriez pas à le rencontrer de nouveau parce que vous êtes persuadé que la disposition d'esprit que vous partagez pourra venir à bout de n'importe quelle situation. Faites-lui promettre la réciproque et quittez-le après une poignée de main.

Cette façon de faire peut sembler ridicule, mais elle a sa raison d'être. En gratifiant ainsi immédiatement votre interlocuteur, vous annulez la tendance naturelle qu'il aurait autrement de s'interroger immédiatement après votre départ sur la pertinence de la décision que vous avez prise ensemble. Ce renforcement que vous faites évitera que votre interlocuteur ne remette tout en question et améliorera son attitude et son ouverture la prochaine fois qu'une telle situation surviendra.

Chantal, pour sa part, remercie son père et lui explique que ce travail conjoint lui a permis de beaucoup apprendre et de voir différemment l'entreprise. Elle termine en souhaitant avoir l'occasion de travailler encore de cette façon avec lui.

Ne prenez toutefois pas de risque. Si une décision a été prise et qu'elle vous convient, ce n'est pas le temps d'attendre et de ne rien faire. Mettez-la en application immédiatement afin que personne ne puisse la remettre en question si un autre conflit survenait. Une fois le conflit résolu, le temps est à l'action.

TROIS CONSEILS PRATIQUES

Certains principes de base vous permettront de régler des conflits sans mettre le feu aux poudres et sans envenimer la relation que vous entretenez avec un membre de l'organisation. Vous pourriez souvent atteindre les mêmes objectifs en ménageant l'autre et en faisant de lui un partenaire plutôt qu'un adversaire à écraser. Rappelez-vous que nous privilégions une stratégie gagnant-gagnant.

Passons rapidement en revue les trois techniques de base : l'écoute active, la reformulation et l'attachement aux faits plutôt qu'aux personnes.

1. **L'écoute active.** Ce sera difficile, mais efforcez-vous d'écouter ce que l'autre a à dire. Ce n'est peut-être

pas intéressant et sans doute possédez-vous déjà toute la vérité, mais pourquoi ne pas écouter ? Cela vous aidera peut-être malgré tout à résoudre le conflit.

Trop souvent, on utilise le temps où l'autre parle pour préparer sa réplique. Cela irait beaucoup plus vite si on lui disait tout simplement de se taire ou si on lui faisait parvenir une note.

Mais si vous aviez tort et qu'il ait raison ? Supposons même que pendant tout ce temps, il aurait eu raison. Pourquoi ne pas permettre à l'autre de vous communiquer sa vision des choses ? Un nouvel éclairage sur les enjeux et les conséquences possibles vous permettra peut-être à tous les deux de trouver une solution à la satisfaction de chacun tout en contribuant à la croissance de l'entreprise.

2. **La reformulation.** C'est une technique utilisée à la fois pour montrer à votre interlocuteur que vous accordez une valeur à ce qu'il dit et aussi pour vous assurer que vous avez effectivement compris ce qu'il vient de raconter. De plus, elle améliore votre capacité d'écoute active.

Souvent, ce que l'on entend ne correspond pas vraiment à ce qui a été dit. Nos préjugés agissent comme un filtre et nous font entendre ce que nous voulons. En reformulant ce que votre interlocuteur vient de dire, vous serez certain de l'avoir compris et vous l'assurerez que vous portez de l'intérêt à ce qu'il dit.

Vous pouvez donc paraphraser ce qui vient d'être dit, le résumer et le reformuler. Pour ce faire, vous utiliserez des phrases telles que « si j'ai bien compris, tu... », « autrement dit, tu crois que... », « laisse-moi résumer pour être certain que j'ai bien compris... ».

Souvent, l'utilisation de cette méthode permettra à votre interlocuteur de prendre conscience de sa position et de clarifier sa pensée. Ce faisant, vous vous en serez fait un allié, mais attention ! Vous ne devez pas simplement répéter comme un perroquet ! C'est l'essentiel de son propos que vous devez reformuler. Ce n'est pas un jouet mnémotechnique ; c'est un outil d'écoute active.

3. **Les faits et non la personne.** Il y a une différence énorme entre le fait de dire à quelqu'un que ses ventes ont chuté de 30 % le mois dernier et le fait de lui annoncer qu'il est un mauvais vendeur. Dans le premier cas, vous traitez des faits vérifiables, tandis que dans l'autre, vous attaquez un être humain avec un jugement qui ne reflète pas nécessairement la vérité.

Vos remarques doivent tout d'abord porter sur des comportements directement observables et non sur ce que vous vous imaginez à propos de cette personne. Il peut souvent être difficile de distinguer comportement et personnalité, mais si vous ne le faites pas et que vous dites à votre vendeur qu'il n'est plus bon, vous le mettez sur la défensive et vous ne tirerez rien de bon de la conversation qui suivra.

Si vous lui dites plutôt que la chute récente de ses ventes vous préoccupe, ce n'est pas lui que vous venez d'attaquer. Vous présentez une situation que vous aimeriez régler avec lui. La conversation sera à ce moment plus ouverte et plus constructive.

N'attendez pas trop longtemps avant de donner à l'autre une rétroaction. Une remarque, même si elle vise les faits et non la personne, ne sera peut-être plus à propos dans une semaine ou dans un mois. L'autre pourra à ce moment vous demander pourquoi vous ne lui en avez pas parlé avant. Vous ne saurez pas quoi répondre et le climat dégénérera.

De plus, si un comportement vous a irrité et que vous attendez un mois pour en parler, votre imagination aura travaillé tout ce temps et il est fort probable que ce que vous raconterez sera fortement exagéré par rapport à ce qui s'est vraiment produit. Si tel est le cas, vous perdrez une partie du respect que l'autre a envers vous.

Finalement, vous n'avez pas à attendre une situation conflictuelle pour prendre ces habitudes. Commencez dès aujourd'hui à parler de ce que vous voyez au lieu de conclure sur ce qui est peut-être. Écoutez dès aujourd'hui ceux qui vous parlent et reformulez leurs propos pour être sûr d'avoir bien compris.

À VOUS DE JOUER

Nous vous présentons maintenant trois exercices. Dans le premier, vous serez amené à réfléchir sur votre gestion du temps et sur celle de vos collègues. Vous utiliserez pour ce faire la matrice de la gestion du temps présentée en début de chapitre.

Dans le deuxième exercice, nous vous proposons de régler un cas en utilisant la technique de résolution d'un conflit expliquée dans ce chapitre. Il n'y a pas qu'une façon de régler une situation. Vous devez privilégier une approche gagnant-gagnant. Mais si vous croyez que la situation ne s'y prête pas, faites autrement. Vous êtes le patron.

Finalement, dans le troisième, nous améliorerons notre capacité à attaquer les faits plutôt que les personnes.

Ma gestion du temps. Prenez une feuille de papier et inscrivez immédiatement tout ce que vous avez fait aujourd'hui. Inscrivez tout, de la tâche la plus banale au geste le plus stratégique. Vous devez savoir ce que vous avez fait de votre journée pour évaluer ce que vous auriez pu en faire.

Classifiez maintenant ces activités selon la matrice de la gestion du temps qui figure au début de ce chapitre.

Pour savoir si une activité était importante ou non, demandez-vous si elle vous rapprochait de vos objectifs personnels à long terme et si elle faisait de même pour les objectifs de l'organisation. Répondez ensuite aux questions suivantes.

Tableau 2.4

MISE EN SITUATION

1. Quelle partie de la matrice vos activités occupent-elles majoritairement ?
2. Quel pourcentage de vos activités consacrez-vous au quadrant nord-est (pas urgent mais important) ?
3. Quelles activités urgentes mais non importantes auriez-vous pu déléguer à d'autres membres de l'organisation ?
4. Pourquoi ne l'avez-vous pas fait ?
5. Vous êtes-vous, au cours des dernières 24 heures, réservé du temps pour vous occuper de votre potentiel humain ? Rappelez-vous que votre organisme a besoin de soins si vous souhaitez le voir fonctionner longtemps.
6. Pouvez-vous préparer un agenda pour demain qui tiendra compte de ce qui est important et de ce qui ne l'est pas ?
7. Parmi les activités urgentes qui vous ont occupé aujourd'hui, combien sont le résultat d'activités importantes mais non urgentes qui ont été négligées récemment ?

À la lumière de ce questionnaire, vous serez en mesure de remettre en question une partie de vos activités de la journée. Comment auriez-vous pu optimiser votre temps et l'usage de vos ressources ? Vous pouvez maintenant y répondre.

Un conflit à régler. Vous êtes le fils ou la fille du fondateur d'un important commerce de détail de votre ville. Demain est un grand jour parce que vous avez décidé de convaincre votre père de mettre sur pied un exercice annuel et continu de planification stratégique.

Vous en avez ras le bol de ne pas savoir où vous allez. Encore hier, votre père a passé une commande chez un fournisseur que vous aviez décidé, d'un commun accord, de laisser tomber il y a deux mois. Questionné sur la raison de ce volte-face, il a répondu que le prix était bon et que vous ne pouviez vous permettre d'en manquer. Vous pensez plutôt qu'il ne se sentait pas le courage de dire non à un vendeur qu'il connaît depuis des années.

Ce n'est pas la première fois que vous exigez une certaine planification et la mise sur pied de politiques et de procédures qui feraient en sorte que vous ne vous contredisiez pas constamment, vous et votre père, face aux employés. Votre leadership en prend un coup, et vos subordonnés attendent souvent l'avis du grand patron avant de mettre en œuvre les ordres que vous donnez.

Votre père a toujours répondu de la même façon. Selon lui, une planification systématique constituerait une entrave à une gestion flexible en l'empêchant de réagir aux imprévus. Il soutient que s'il avait un plan, les employés pourraient le communiquer à vos compétiteurs et qu'en plus, s'il devait y apporter un changement, il passerait pour quelqu'un qui ne sait pas où il va. De plus, finit-il toujours par dire, l'économie est trop incertaine pour faire une planification valable.

Vous pensez que s'il n'a jamais voulu en entendre parler, c'est justement parce qu'il ne sait pas où il va. Qu'il a peur que vous mettiez en doute ses affirmations quant à la façon de gérer parce qu'un processus systématique de planification vous mettrait en contact avec des données qu'il garde présentement pour lui.

C'est là ce que vous pensez, mais vous ne le lui avez jamais communiqué. Vous redoutez sa réaction et c'est pourquoi vous vous contentez de parler de votre insécurité face à l'avenir, du manque de respect des employés à votre égard et du temps perdu à jouer aux devinettes.

Vous vous dites que vous devriez peut-être lui faire part de vos vrais préoccupations. Ou peut-être devriez-vous insister sur les bénéfices qui en découleraient si votre proposition était acceptée ? Par exemple, quand vous prendrez la direction de l'entreprise, l'expérience acquise en planification vous évitera peut-être d'inutiles et coûteuses erreurs.

Vous ne souhaitez pas voir la situation s'envenimer, mais votre souci est réel. Peu importe ce qui arrivera, c'est demain que vous déballerez votre sac.

Reformulation. Cet exercice porte sur la reformulation et l'habitude que vous prendrez de vous attaquer aux faits et non aux personnes. Reformulez les cinq énoncés de façon à attaquer le cœur du problème sans attaquer votre interlocuteur.

Dans le premier énoncé par exemple (tableau 2.5), il vaut mieux s'en tenir à ce qui est directement observable et ouvrir la discussion par une phrase comme : « Tu es arrivé en retard chaque jour depuis trois jours. As-tu des problèmes ? Y a-t-il quelque chose que je pourrais faire pour t'aider ? » Cette approche ne met pas l'employé sur la défensive. Si son retard n'est dû qu'à la négligence, vous pouvez être assuré qu'il s'efforcera d'être à l'heure la prochaine fois. S'il a vraiment des problèmes, il s'en ouvrira et vous pourrez formuler conjointement une solution acceptable pour les deux parties. Mais tenez-vous en aux faits. Ils sont inattaquables et leur emploi ne remet pas en doute votre souci de l'autre.

Tableau 2.5

LA REFORMULATION	
Énoncé	**Reformulation**
1. Tu es toujours en retard ! (À un employé qui est arrivé en retard trois jours de suite.)	
2. Vous pensez qu'on a seulement à faire un chèque ! Les dividendes, pour être versés, doivent d'abord être gagnés (lors d'une assemblée générale annuelle).	
3. Tu es distrait et la qualité de ton travail s'en ressent.	
4. Tu n'es plus capable de conclure tes ventes. (À un vendeur dont les ventes ont diminué de 20 % en deux mois.)	
5. Tu n'aimes pas que je te dise la vérité. Tu penses toujours que j'exagère.	

Voici d'autres exemples de reformulation portant sur les faits plutôt que sur les personnes. À l'énoncé 2, vous pourriez expliquer que seul un réinvestissement constant des profits permettra un flot de dividendes et que des dividendes trop importants tout de suite mettront en danger la survie de l'organisation à long terme.

À l'énoncé 3, il faut aborder l'employé avec des faits vérifiables. Essayez : « Le taux de rejet sur ta production a doublé depuis un mois. Que se passe-t-il ? Y'a-t-il quelque chose que je pourrais faire ? »

À l'énoncé 4, insistez sur la diminution des ventes et offrez votre aide. Pour l'énoncé 5, utilisez le « je » plutôt que le « tu ». Par exemple : « J'ai l'impression que tu ne crois pas ce que je dis. J'aimerais que tu m'aides et que tu me dises ce que tu penses faux. »

CHAPITRE 3

ATTENTION ! FAMILLE AU TRAVAIL !

Au moment d'écrire ces lignes, Wallace McCain, l'un des copropriétaires des industries McCain du Nouveau-Brunswick, vient d'intenter une poursuite contre son frère Harrison parce que ce dernier chercherait prétendument à l'expulser de la compagnie pour nommer ses enfants aux commandes de l'organisation. Selon Peter C. Newman, qui les connaît tous les deux personnellement, « ils sont tellement têtus qu'il ne serait pas surprenant de voir l'entreprise de trois milliards être bientôt acquise par une multinationale ».

Il y a quelque temps, Marvin Gerstein, le fils du fondateur des bijouteries Peoples, faisait avorter le plan de restructuration proposé par son neveu Irving et précipitait l'entreprise dans la faillite. C'était une question de vengeance personnelle parce qu'il avait été exclu du conseil de direction et que les neveux avaient pris d'importantes décisions (notamment l'acquisition d'une chaîne américaine) sans son consentement.

Rappelons-nous la chute de l'empire Steinberg qui avait pour source la philosophie de placement du trust financier de la famille. Pensons à la déconfiture des bijouteries Birks lorsque l'un des frères a tellement endetté la compagnie pour acheter les parts des deux autres que toute tentative de passer au travers de la récession du début des années 90 a été vaine.

Souvenez-vous finalement de la réaction du fondateur de Canadian Tire, M. Alfred J. Billes, quand ses enfants ont essayé de vendre leurs actions à un groupe de marchands franchisés. Il a réussi à bloquer la vente, mais les relations qu'il entretenait avec ses enfants ont dégénéré et la question n'est toujours pas réglée. Ce ne sont là que quelques cas qui ont défrayé la manchette au cours des dernières années.

Nous traiterons dans ce chapitre des relations familiales dans l'entreprise québécoise. Après une mise en situation, nous discuterons rapidement du contexte dans lequel évoluent parallèlement la famille et l'entreprise avant de passer en revue une série de sources potentielles de chicanes. Dans la dernière section, un questionnaire destiné à déterminer la philosophie de base de votre famille face à l'entreprise vous permettra d'échanger avec les autres sur les enjeux d'une telle stratégie et de jeter les bases d'un credo familial.

Notre propos n'est pas de statuer sur chaque sujet abordé. Les circonstances particulières, les personnes et d'autres variables rendent impossible la préparation d'une feuille diagnostique unique qui pourrait décréter que telle ou telle conduite est valable et que telle ou telle autre mérite réprobation.

LES MATÉRIAUX DE CONSTRUCTION CHAGNON LTÉE

Josée Chagnon savait dès son lever que l'avant-midi se passerait mal. Sa mère avait annoncé sa visite au bureau et cela ne pouvait qu'impliquer du magouillage de la part de ses deux frères. Elle remarqua sur son agenda que l'après-midi serait consacré à une rencontre avec son banquier. Il avait besoin d'information sur les états financiers et voulait s'assurer que plus aucune surprise n'était susceptible de se produire.

Un an auparavant, le père de Josée était décédé, laissant par testament l'entreprise à son épouse, sa fille et ses deux fils. Chacun avait hérité d'une part égale et Josée avait été nommée présidente, position qu'elle avait officieusement occupée pendant la longue maladie de son père.

Tous s'étaient immédiatement ralliés derrière Josée face aux menaces inconnues que représentaient l'impôt à payer et la succession à régler. Cela n'avait pas été facile. Le banquier avait menacé plus d'une fois de diminuer les marges de crédit au moment même où les fonctionnaires du ministère du Revenu insistaient pour être payés. Mais Josée avait carte blanche et elle avait su négocier et manœuvrer au travers de cette tempête.

Josée avait même réussi à liquider l'actif d'une des divisions de l'entreprise (la fabrication de fermes de toit) pour trouver le montant manquant au paiement de l'impôt. Personne n'avait questionné sa décision, obnubilés qu'ils étaient par le sentiment de crise qui les étreignait.

Mais le ciel était maintenant plus clair. L'impôt était payé, les fournisseurs étaient rassurés, de même que les employés. Il fallait plus que jamais penser à la croissance et à la saine gestion, mais au moment même où se dissipaient les noirs nuages de l'incertitude, la solidarité qui leur avait permis de traverser la crise s'effritait.

La semaine dernière, ses deux frères étaient venus la voir. Pierre, qui s'occupait de la livraison, et Marc, acheteur pour la section décoration, souhaitaient voir leurs salaires augmenter au même niveau que celui qu'elle recevait à titre de P.-D.G. Cette décision, si elle avait dit oui, aurait augmenté les dépenses annuelles de plus de 50 000 $. Elle avait dit non en soulignant que chacun devait être payé par rapport à sa contribution et que c'était valable aussi pour les membres de la famille.

Les frères avaient menacé de convaincre leur mère de se joindre à eux et, ainsi majoritaires, de la faire remplacer à la présidence par Marc. La rencontre avait alors dégénéré en règlement de comptes et depuis, le climat de travail restait tendu.

Quand sa mère lui avait téléphoné hier pour annoncer sa visite, Josée lui avait demandé son opinion. La réponse lui avait déplu : « Votre père vous aimait tous également. Il ne voulait pas favoriser un enfant aux dépens des autres. » Cette réponse l'avait laissée stupéfaite et elle avait passé le reste de la journée à étudier la convention achat-vente qu'ils avaient signée quelque temps après les funérailles. Que se passerait-il aujourd'hui ?

LE DÉVELOPPEMENT DE L'ENTREPRISE

Il serait maintenant opportun de suivre en accéléré la croissance d'une entreprise et l'influence de cette croissance sur la famille. Nous serons en mesure par la suite de comprendre les deux philosophies de base gouvernant les rapports entre entreprise et famille et de prendre conscience de l'importance d'un *credo* familial qui guidera ces rapports. Nous diviserons donc la croissance de l'entreprise en trois phases, une classification présentée par John Ward en 1987.

Phase un : *vache enragée et besoins de base.* Quand, souvent après une mise à pied ou une décision mûrement réfléchie, une personne décide de fonder sa propre entreprise, elle a généralement entre 25 et 35 ans. Les premières années sont critiques et l'objectif de la famille se confond avec la survie de l'entreprise.

Si la société ne survit pas, le couple perdra tout ce qu'il a. Pire encore, l'entrepreneur devra baisser les bras et avouer qu'il a échoué. Il se consacre donc entièrement au succès de l'entreprise, qui grandit rapidement et exige temps et argent. La famille va à ce moment se contenter des besoins de base pour ne pas mettre en péril les espoirs de réussite par de trop grandes ponctions monétaires.

La majorité des entreprises ne passent pas cette période. Ce sont souvent les capacités techniques et les habiletés acquises dans un précédent travail qui motiveront le nouvel entrepreneur dans son choix d'entreprise. Il a donc de grandes capacités comme employé, mais ses connaissances en gestion sont limitées, tout comme l'argent dont il disposerait pour acheter les conseils de professionnels. Ces lacunes en gestion (pas de planification, mauvaise utilisation du fonds de roulement, manque de contact avec les créanciers, etc.) provoqueront souvent la faillite.

Mais certains passent au travers, car ce genre d'entreprise a d'énormes avantages. Petite et dynamique, elle peut modifier très rapidement la nature de sa production ou son approche du marché. Basée sur une économie de subsistance, elle pourra également mieux passer les périodes de récession, le propriétaire se contentant souvent d'un salaire d'employé. C'est un emploi que le propriétaire s'est trouvé, et l'entreprise n'est pas vue comme un placement.

Les enfants grandissent donc sans trop voir cette moitié du couple (traditionnellement, c'est le mari mais de plus en plus, c'est l'épouse) qui passe tout son temps dans l'entreprise et rentre exténuée en fin de journée, ne songeant qu'à une bonne douche et à un sommeil réparateur. Ces enfants auront entre 5 et 10 ans quand, enfin, l'entrepreneur aura un peu de temps à leur consacrer.

Phase deux : *profits en hausse, besoins en hausse.* L'entreprise a maintenant entre 10 et 20 ans. Les parents filent allégrement vers la quarantaine ou la cinquantaine et les enfants, aux abords de la vingtaine, songent à s'intégrer à l'organisation.

C'est une entreprise en pleine maturité, qui a une bonne base de clients et dont les preuves ne sont plus à faire. Tout au long de cette phase, les ventes, de même que la clientèle, grandissent chaque année. C'est une organisation plus importante et plus complexe. La gestion requiert maintenant l'acquisition de nouvelles aptitudes chez les dirigeants.

Alors que toutes les facettes de l'entreprise, lors de la première phase, étaient surtout gérées par l'entrepreneur, ce dernier doit maintenant faire de plus en plus confiance à des gestionnaires. Au lieu de s'identifier personnellement à chaque activité, il recourt aussi à l'analyse des faits par le biais de rapports de gestion. Alors qu'il s'était toujours démarqué par ses décisions innovatrices, il réagit de plus en plus à l'environnement parce que maintenant, il a quelque chose à perdre.

La famille a aussi changé. Alors qu'elle s'était consacrée au succès de l'entreprise dans la première phase, elle éprouve maintenant plus de besoins et considère que les privations passées justifient dorénavant une vie plus facile. Mais ce changement de philosophie ne pose pas de problème parce que la hausse des revenus d'entreprise permet cette amélioration du confort de la famille. Une amélioration que tous trouvent justifiée.

Le succès, à cette période, repose sur deux éléments très importants : la capacité du propriétaire à se renouveler et la façon dont on inculque aux enfants la vision de l'entreprise. Voyons rapidement ces deux éléments.

Si le propriétaire ne sait pas se renouveler et remettre en question sa façon de gérer, ce sera la période du *burnout*. Habitué à tout faire et confronté à une entreprise dont la complexité grandit chaque jour, son entêtement à tout mener et le nombre limité d'heures disponibles dans une journée peuvent rapidement l'amener à tout faire mal. S'il n'arrive pas à déléguer et s'il se refuse à laisser aller une partie de son autorité, le temps viendra rapidement où, débordé, il s'épuisera et détruira par le fait même la ressource la plus importante de son organisation : son propriétaire-opérateur.

La vision qu'ont les enfants de l'entreprise est également d'une importance capitale. Si on leur laisse croire, souvent par des emplois d'été inutiles mais hautement rémunérés, que l'entreprise n'est qu'un système à berner pour faire la belle vie, ils quitteront rapidement les études pour profiter de cette manne apparemment inépuisable.

Si le fils, la fille croient à ce moment que l'entrée dans l'entreprise leur est due et que gérer veut dire empocher, c'est espérer vainement que l'entreprise existera encore dans une ou deux générations. Nous reviendrons sur cette question plus loin dans ce chapitre. Contentons-nous de retenir que lors de la seconde phase, les besoins de la famille grandissent en même temps que la capacité de payer de l'entreprise ; il n'y a donc pas, structurellement, de conflit.

Phase trois : *stagnation et besoins en hausse rapide.* À mesure qu'il approche de la soixantaine, le propriétaire change progressivement sa perception du risque. Autrefois avide d'aventures, il devient de plus en plus conservateur et ne se hasarde plus dans l'inconnu. Il aurait trop à perdre et il ne bénéficie plus du temps nécessaire pour refaire sa fortune si une mauvaise décision mettait en péril son train de vie.

Ce propriétaire, qui avait toujours été à l'affût du marché, se traîne maintenant les pieds. Alors qu'autrefois il se laissait guider par son instinct, il lui faut maintenant toute l'information pour investir. Et bien que l'environnement continue à changer, il décide de s'arrêter dans le temps et de s'en tenir aux recettes qui ont eu du succès dans le passé.

De leur côté, les enfants sont dans l'organisation depuis une dizaine d'années et ont constamment des idées d'amélioration qui semblent déplaire à leur père. Ils sont conscients des occasions ratées et voient de jour en jour l'actif de la compagnie vieillir sans être remplacé. Ils redoutent une désuétude avancée quand ils prendront les rênes et ils appréhendent les décisions qui devront à ce moment être prises.

Cette absence de réinvestissement a progressivement amené une stagnation des ventes et une diminution des profits. Pendant ce temps, les besoins de la famille continuent à grandir. Les enfants des enfants vont maintenant à l'école et chaque famille doit gagner davantage si elle veut conserver son train de vie. À ses débuts, l'entreprise faisait vivre une seule famille. Maintenant, c'est trois, quatre ou cinq familles qui dépendent d'elle. Pour la première fois, les besoins de l'entreprise divergent de ceux de la famille.

La divergence d'opinion sur les besoins d'ajustements au marché ainsi que les besoins financiers conflictuels ne constituent cependant que deux conflits structurels mineurs si le propriétaire agit à ce moment comme s'il était éternel. De graves discordes naîtront si les enfants croient à ce moment que l'entrepreneur, par ignorance ou négligence, met en péril leur héritage.

Résumons en un tableau les trois phases que nous venons de traiter et passons aux deux principales philosophies gouvernant les relations entreprise-membres de la famille.

Tableau 3.1

LA CROISSANCE DE L'ENTREPRISE EN 3 PHASES			
Phases Particularités	**I**	**II**	**III**
Âge de l'entreprise	0-5	10-20	20-30
Âge des parents	25-35	40-50	55-70
Âge des enfants	0-10	15-25	30-45
Situation de l'entreprise	Croissance rapide exigeant temps et argent	Maturité	Besoins d'investissements
Organisation	Petite et dynamique	Grande et complexe	Stagnante
Motivations de l'entrepreneur	Succès de l'entreprise	Contrôle et stabilité	Nouveaux intérêts (s'oppose à la croissance)
Attentes de la famille	Besoins de base	Besoins plus grands	Besoins encore plus grands
Objectifs familiaux	Succès de l'entreprise	Croissance et développement des enfants	Harmonie familiale
Conflits	Rares	Rares	Nombreux

DEUX PHILOSOPHIES OPPOSÉES

La perception qu'un membre de la famille entretient de sa relation avec l'entreprise influencera grandement les décisions qu'il sera en mesure de prendre et la façon dont les conflits seront gérés à l'intérieur de la cellule familiale. Nous allons ici traiter de deux philosophies opposées et insister sur la nécessité d'un *credo* familial qui fait consensus.

Philosophie N° 1 : *la famille existe pour servir l'entreprise.* Nous venons de voir que pour le fondateur, surtout lors du démarrage, la famille existe souvent pour favoriser et soutenir le développement de l'entreprise. Ce dernier y investit toute son énergie, y puise tout son orgueil, et la famille lui sert de réservoir où il peut puiser une main-d'œuvre disponible et bon marché. La croissance des ventes, plus que l'augmentation des profits ou le rendement de l'actif, constitue son objectif de base.

De cette philosophie découlent plusieurs décisions qui restent conséquentes les unes par rapport aux autres. On décidera par exemple de ne jamais verser de dividendes et de réinvestir tous les profits dans le fonds de roulement. C'est ainsi que l'on financera l'expansion.

Les titres et les promotions sont décernés au mérite et non selon l'ordre d'arrivée dans ce monde. De même, la rémunération des membres de la famille sera fixée selon les lois du marché et, à la suite d'un décès, le patrimoine sera divisé en tenant compte des intérêts à long terme de l'entreprise et non guidé par le souci d'égalité.

Poussée à l'extrême, cette philosophie peut connaître des ratés. On demandera aux membres de la famille de travailler davantage et à meilleur prix que les autres employés. « Après tout, vous pouvez bien y mettre un peu plus d'énergie. Ça va éventuellement vous appartenir. C'est pour vous que vous travaillez. » À la longue, surtout si la succession n'est pas planifiée, les enfants auront l'impression d'être exploités et leur rendement au travail diminuera.

Philosophie N° 2 : *l'entreprise existe pour servir la famille.* Selon cette philosophie, les fondateurs ont tellement travaillé pour mettre sur pied une organisation viable qu'il est maintenant tout à fait normal que la famille puisse bénéficier du fruit de leur labeur. C'est le bien-être des membres de la famille et non la rentabilité à long terme de l'entreprise qui devient prioritaire et l'on privilégie par-dessus tout l'harmonie familiale.

Si cette philosophie gouverne l'entreprise, tous les membres seront invités à devenir employés, quelle que soit leur formation. Ils toucheront tous le même salaire (rappelons-nous la mise en situation en début de chapitre) et une même génération se retrouvera à un même niveau hiérarchique. Il ne saurait y avoir de relations supérieur-subordonné entre les membres d'une même génération parce que « ce n'est pas juste ».

Si les fondateurs décèdent, les héritiers auront tendance à perpétuer cette structure en ne remplaçant pas le président. Chacun continuera à accomplir ses tâches comme si de rien n'était. Le désir d'éviter un conflit à la direction créera un climat de coopération souvent factice et on annoncera aux employés que tout continue comme avant.

La procrastination est un sous-produit de cette philosophie. Comme c'est en définitive le consensus qui mène et qu'il est souvent difficile à obtenir, c'est souvent le sort et l'environnement qui détermineront l'issue des questions majeures. Pendant qu'on attend, le monde continue à tourner. Chaque conflit se règle alors par une stratégie d'ignorance.

Au chapitre des dividendes, les membres de la famille trouveront normal d'exiger un rendement équivalent à ce qui est disponible sur le marché et cela pourra entraîner un étouffement progressif de la capacité d'adaptation de l'organisation.

On serait tenté de crier à l'injustice. Ces personnes se paient la traite et néglige la survie de l'organisation. Qu'adviendra-t-il des employés quand leur grande fête sera terminée ? Les responsabilités sociales des propriétaires de l'entreprise sont-elles carrément ignorées ? Mentionnons ici que chacune de ces philosophies peut être justifiée selon les circonstances et qu'il n'est pas possible de décider *a priori* qu'une ou l'autre approche est dommageable.

Vous ne retrouverez cependant pas ces philosophies à l'état pur dans votre organisation. Elles constituent les pôles d'un ensemble où chaque membre de votre entreprise se trouve à un point différent. Ce qui causera les conflits, c'est l'écart entre la position d'une personne par rapport à celle d'une autre. Plus l'écart sera grand, plus il deviendra difficile de gérer efficacement l'organisation parce que les actions posées iront à l'encontre les unes des autres. Les employés ne sauront plus qui ils doivent écouter et la rentabilité chutera rapidement.

Imaginez la gestion quotidienne d'une entreprise où trois membres de la famille se consacrent corps et âme à l'entreprise pour la voir grandir. Ces personnes investissent de nombreuses heures, travaillent sans compter et partagent des objectifs de croissance. Deux autres membres de la famille travaillent également dans l'entreprise, mais ils se rallient davantage à l'autre philosophie. Tout en exigeant un salaire équivalent à ceux qui travaillent sans compter, ils n'hésitent pas à prendre congé et réclament tous les ans des dividendes qui mettraient en péril les objectifs du premier groupe. Des conflits surgiront inévitablement.

LE *CREDO* FAMILIAL

C'est ici qu'entre en jeu le *credo* familial. Plus qu'un slogan éphémère, c'est un texte écrit, approuvé et signé par tous les membres de la famille. Il a pour but de développer une vision commune qui guidera les gestes de chacun. Ce *credo*, réalisé à la suite d'une série de rencontres, reconnaît l'engagement des membres de la famille à s'assurer de la continuité de l'entreprise et explique pourquoi la famille s'engage de la sorte.

On y retrouve également les priorités familiales, les forces que chacun peut apporter pour contribuer à l'épanouissement de l'organisation et les contributions additionnelles qu'exigera l'entreprise pour se développer et grandir. C'est le pendant familial de la mission corporative et, en permettant de dissocier la famille et l'entreprise, il diminue les risques de conflits en dissipant la confusion.

LES ACTEURS ET LEURS PRÉOCCUPATIONS

Nous passerons maintenant en revue les principaux acteurs de la famille et nous dresserons un tableau sommaire de leurs inquiétudes face à l'entreprise. Ce qui est important de retenir ici, c'est que leurs préoccupations, bien que souvent opposées, sont également légitimes. Ce n'est pas toujours la mauvaise volonté qui met le feu aux poudres. Celui ou celle qui souhaite mettre un terme à une guerre froide doit le garder à l'esprit.

Afin d'alléger le texte, les acteurs ont été confinés dans leurs rôles traditionnels. Le « il » désignera donc le fondateur et le « elle », la conjointe à la maison. Cela ne veut pas dire que nous ignorons la part grandissante que prennent les femmes sur la scène entrepreneuriale. De plus en plus, limitées par un marché du travail qui ne les reconnaît pas à leur juste valeur, les femmes se tournent vers l'entrepreneuriat, pour le grand bien de notre économie. Ce texte pourrait donc tout aussi bien se lire en inversant les genres.

Dès que nous les connaîtrons mieux, nous serons en mesure d'étudier les événements qui précipitent les crises et qui créent les conflits. Nous comprendrons mieux les écarts qui existent souvent entre chaque antagoniste et nous arriverons à trouver des solutions aux pires situations.

• Papa

C'est celui qui, parce qu'il n'avait pas de travail et se refusait à l'idée de s'astreindre à la soupe populaire, a décidé un bon matin de s'établir à son compte. Il a tout investi ce qu'il possédait dans l'affaire et a fini par passer au travers. Ses relations avec le monde se sont modifiées en même temps que l'entreprise passait par l'une ou l'autre des périodes de croissance.

À ses débuts, l'entrepreneur est animé par un mélange de peur et d'espoir. Il aimerait réussir, mais il ne se sent pas à la hauteur. Pour ne pas passer pour un raté aux yeux de sa conjointe, il la maintient dans l'ignorance et garde pour lui ses rêves et ses angoisses. C'est un comportement qu'il conservera probablement toute sa vie et qui se répétera plus tard avec les enfants.

C'est au moment où l'entreprise entre dans sa seconde période (profits en hausse, besoins en hausse) que l'entrepreneur devient une légende. Il s'est en effet démarqué du grand nombre de propriétaires d'entreprises qui ne passent pas la première période. Il est devenu un employeur et on le salue poliment. Les profits sont en hausse et rien n'est trop beau pour montrer à la face du monde qu'il a enfin réussi. Il est occupé à construire son mythe.

C'est une époque où il est très sensible à la flatterie. Les employés le savent et les organismes de charité aussi. N'ayant pas de compte à rendre, c'est la victime idéale pour qui sait le prendre du bon côté. C'est une période où il est trop occupé pour penser un instant à l'avenir et à la planification de sa succession. Les décès qui surviennent lors de cette période sont souvent les plus coûteux pour les héritiers.

Puis arrive la troisième période de croissance (stagnation et besoins en hausse) et le propriétaire commence à ressentir le poids des ans. Il a de la difficulté à se lever le matin et il marche plus lentement. Son estomac ne lui permet plus de manger tout ce qu'il aimerait et sa mémoire lui fait parfois défaut.

Devant l'éventualité de son départ de ce monde, il décide alors de tenir tête au destin. Il s'enfonce dans des activités politiques et philanthropiques qui lui occuperont l'esprit. Pendant ce temps, il s'éloigne quelque peu du commerce, mais n'en confie la gestion à personne. Il conserve la main haute sur l'information et garde dans le noir ceux qui se posent des questions sur la succession.

Non que cet entrepreneur n'entretienne pas une idée fantaisiste du moment où il prendra sa retraite en laissant l'entreprise aux enfants. Mais dans sa tête, cet événement devrait se produire dans une ou deux générations, pas avant. En attendant, il reste seul capitaine du navire et il s'ingénie à se faire croire que la mer est calme.

En effet, si cette mer était agitée, il faudrait songer à réinvestir, et ce chef d'entreprise ne le souhaite pas. Il lui faudrait alors s'adapter à cette nouvelle situation quand il est très bien ainsi. C'est un capitaine fatigué, qui a appris à ne pas communiquer ses rêves, qui a peur de vieillir et qui ne voudrait pas voir cette autre enfant qu'on appelle l'entreprise être détruit pendant qu'il est encore de ce monde.

• Maman

C'est la compagne de papa. Parce que ses services sont gratuits, elle a généralement été sa première employée. Et parce qu'à l'époque il ne s'intéressait pas aux chiffres, maman est devenue la commis-comptable de l'entreprise. C'est elle qui devait harceler les clients qui ne payaient pas et faire attendre les fournisseurs qu'elle ne pouvait pas payer.

Ce qui n'empêchait pas papa de garder sa compagne dans l'ignorance totale en ce qui avait trait aux projets d'avenir et aux relations entretenues avec les conseillers ou les principaux clients. Si son rôle se bornait souvent à garder le magasin ouvert quand le fondateur était absent, il y a longtemps qu'elle ne communiquait plus vraiment avec son époux.

Lors des congrès, cet entrepreneur inscrit son épouse au « programme des conjoints », un euphémisme employé pour désigner une garderie pour personnes adultes qui ne sont pas invitées aux ateliers traitant des vrais sujets.

À mesure que l'entreprise grandit, le rôle de la conjointe change progressivement. Première secrétaire-trésorière de l'organisation (il fallait à l'époque trois administrateurs pour s'incorporer, et papa l'a choisie parce qu'elle ne remettrait pas en question ses décisions), cette épouse s'éloigne peu à peu de l'administration quotidienne à cause de son rôle de mère. Elle est donc devenue la « directrice » des relations familiales. C'est elle qui apaise les tensions lors de conflits majeurs et elle sert également d'agent de liaison lorsque les enfants ont quelque chose à demander à leur père.

Sa préoccupation première reste l'harmonie familiale. Cette mère ne voudrait pas qu'un des enfants puisse croire qu'il est traité moins équitablement. Et pour elle, équité veut dire égalité. Il n'est pas question de payer un enfant plus cher parce qu'il rapporte davantage à l'entreprise.

Quand l'épouse du fondateur devient veuve (les statistiques nous disent qu'elle a plus de chances de devenir veuve que son époux en a de devenir veuf), elle se retrouve souvent propriétaire exclusive d'une entreprise que les enfants s'attendaient à recevoir. Les tensions s'amplifient et le mode de décision devient rapidement le consensus (il ne faut déplaire à personne).

Si les enfants sont encore jeunes, la nouvelle propriétaire confiera l'administration de l'entreprise au comptable ou à l'avocat de la famille. Ses grandes craintes sont d'assister un jour ou l'autre à l'éclatement de la famille, de voir l'entreprise faire faillite et d'en être réduite à aller faire des ménages pour survivre. C'est souvent à cause de ces craintes qu'elle hésitera à transférer l'entreprise aux enfants, s'ils sont plus vieux. Cette conjointe aime bien le matriarcat.

C'est encore pire si l'héritière est la seconde épouse de papa. Les relations avec les enfants du premier mariage vont généralement se dégrader et l'entreprise, devenant rapidement un synonyme de tension, sera laissée en gestion par des professionnels tout aussi intéressés qu'incompétents.

• Les enfants

Les enfants ont grandi sans vraiment voir leur père parce que ce dernier travaillait beaucoup et rentrait fatigué à la maison. Très tôt, on a dit à ces enfants qu'un jour ils seraient propriétaires de l'entreprise et qu'en définitive, c'est pour eux que leur père travaillait. Ils auraient quand même préféré l'avoir à la maison.

Si on leur apprend à respecter le travail et à faire des compromis, les enfants choisissent d'étudier dans des domaines qui pourraient apporter une plus-value quand ils se joindraient à l'entreprise. Si, dès leur jeune âge, on compense les absences répétées par des cadeaux à n'en plus finir, ils apprennent que l'entreprise est un énorme réservoir de cadeaux qui leur reviendrait de droit un jour, et ils décident de quitter l'école le plus tôt possible. Après tout, pourquoi étudier puisque leur emploi est assuré et qu'ils seront riches un jour ? Ce penchant pour la facilité n'est jamais un bon présage. Ces enfants ne se doutent même pas que le sort peut réserver de bien mauvaises surprises à une entreprise apparemment immuable et immortelle.

L'entreprise familiale québécoise fonctionnant encore selon les règles de la primogéniture, c'est l'aîné qui aura éventuellement droit à la présidence, sauf si c'est une fille. Auquel cas, on prendra le prochain mâle en liste ou, à défaut d'héritier mâle, on reviendra au début de la liste et on choisira la fille aînée. Remarquez que cela change rapidement, mais ne laissons pas les tendances nous aveugler ; c'est ce qui se produit encore dans la majorité des cas.

Quand arrive la seconde phase de croissance de l'entreprise, les enfants ont entre 15 et 25 ans. Pour eux, le fondateur est un génie. Il a créé une entreprise rentable qui grandit d'année en année. Si les enfants entrent en fonction dans l'entreprise sans avoir acquis une expérience de travail ailleurs, ils ne sauront jamais qu'il existe dans l'univers d'autres façons de gérer. Ils deviendront prisonniers des philosophies de gestion de papa.

C'est pendant cette période que le fondateur devrait permettre à ses enfants de faire leurs premières erreurs. La rentabilité de l'entreprise est à son apogée et l'apprentissage par essais et erreurs coûtera beaucoup moins cher que s'il a lieu le jour où ils se retrouveront avec une entreprise stagnante sur les bras. Mais papa ne leur laisse pas décider. Ils sont censés attendre patiemment leur tour sans trop poser de questions.

C'est pendant la troisième période de croissance que les conflits éclateront. Le fondateur, que les enfants considéraient comme un dieu, redevient un humain et un humain vieillissant en plus. Ils se rendent bien compte que papa retarde indûment la planification de la succession et qu'il reste trop attaché aux recettes passées. Les gestes qui lui donnaient cet éclat surnaturel sont devenus des tics agaçants. Les enfants voient bien que leur père s'adapte mal aux nouvelles réalités et aux nouvelles technologies.

C'est à ce moment, alors que le fondateur perd son amour du risque, que les enfants cherchent à innover afin de préparer l'organisation à un environnement changeant. Les chicanes qui en résulteront pourraient bien se révéler irréparables s'il n'y avait maman, qui sert d'arbitre et de médiatrice.

Ces conflits, bien qu'importants, ne sont rien en comparaison à ceux qui surviendront quand les enfants se retrouveront propriétaires à parts égales de la compagnie et que les parents seront décédés. C'est toute la tragédie grecque qui renaîtra alors sous les yeux des témoins de ces drames quotidiens, surtout si l'entreprise va bien.

Tant que les parents étaient là, l'esprit de clan et le bien commun suffisaient à faire taire les désaccords. Mais leur disparition a scindé le grand clan en petits clans qui ont chacun leur chef et leurs membres. Les intérêts individuels peuvent à ce moment, s'il n'y a pas partage de valeurs et d'objectifs, mener à l'éclatement des liens familiaux et à la disparition de l'entreprise.

• Le gendre et la bru

Le gendre et la bru, c'est la « famille importée ». Ce sont ceux qui, à un moment donné, sont venus rompre l'équilibre naturel du clan et qu'il a bien fallu adopter, de peur de voir partir cet enfant qui est inexplicablement tombé amoureux. Ils se pointent souvent vers la fin de la seconde phase de croissance de l'entreprise et l'accueil qu'on leur réserve varie énormément selon les circonstances.

Le gendre, surtout dans la petite entreprise, est généralement mieux éduqué que les enfants du fondateur. Le gendre n'avait pas d'emploi assuré en vue et il a donc étudié. De plus, il a souvent travaillé ailleurs et il bénéficie de points de comparaison quant à la manière dont l'entreprise est administrée. C'est donc avec un œil critique qu'il diagnostiquera l'organisation, si jamais il est invité à en faire partie, ce qui est très probable.

S'il n'y a pas d'héritiers mâles au travail dans l'entreprise, le gendre sera d'autant plus accueilli à bras ouvert. Il deviendra à ce moment l'héritier spirituel du fondateur et accédera rapidement à des postes plus importants que celui occupé par sa conjointe. S'il y a cependant un fils au travail dans l'organisation, le gendre devra se contenter d'un second ou d'un troisième rôle, car les chances qu'il accède au niveau hiérarchique occupé par un fils aîné sont pratiquement inexistantes. Cette situation peut rapidement devenir frustrante.

La bru est la parente négligée de la caste familiale. Ce n'est pas vraiment un membre de la famille et, n'ayant pas grandi dans une entreprise, elle n'arrive pas à comprendre le nombre incalculable d'heures que son époux met au travail chaque semaine. La bru croyait que le jour de l'An existait pour fêter et non pour faire l'inventaire. Elle pensait que Pâques était une journée de fête et non le jour de l'assemblée générale annuelle. Que d'illusions perdues !

Si, en plus, la philosophie dominante dans l'entreprise est que la famille existe pour servir l'entreprise, la bru jugera rapidement que son mari reçoit un salaire ridicule en comparaison des efforts investis et elle fera pression pour qu'il s'occupe un peu plus d'elle et de leurs enfants. Cette pression attisera l'animosité à son égard et l'éloignera encore plus de sa belle-famille.

La bru se joindra rarement à l'entreprise. On ne l'invitera même pas à assister au conseil de famille, rencontre où le gendre sera convié régulièrement. Ignorée et isolée, elle développera une antipathie envers les autres, antipathie qu'elle réussira souvent à communiquer à son époux. Ainsi commenceront à couver des chicanes majeures qui éclateront quand l'entreprise sera gérée par la nouvelle génération.

Dans d'autres familles, où l'on a compris qu'il valait bien mieux se faire une alliée de la bru qu'une ennemie, on prendra le temps de l'accueillir et on la tiendra au courant des objectifs familiaux et corporatifs.

• Les oncles, les cousins et les autres

Aux oncles et aux cousins peuvent s'ajouter une kyrielle d'autres personnes qui ont des intérêts plus ou moins directs dans l'entreprise. Chacun se croit justifié de donner son opinion et s'attend à ce qu'on l'écoute.

L'oncle est souvent un actionnaire de la première heure. Papa avait besoin d'argent et l'oncle en avait. Il a investi et reçu des actions en échange parce que papa n'avait pas l'intention de le rembourser. Il se considère comme l'un des premiers fondateurs et ambitionne de nommer un des ses enfants à la tête de l'empire quand son frère ou son beau-frère sera décédé. Ne lui parlez pas de racheter ses actions ; il s'est depuis le temps identifié à l'organisation. Il y travaille et considère la détention d'actions comme une garantie d'emploi.

Le cas des cousins, rencontré chez ceux qui croient que l'entreprise est là pour servir la famille, est encore plus problématique. Quand la société passe de la deuxième à la troisième génération, les cousins accèdent au pouvoir. S'il n'y a pas eu entre-temps de rachat d'actions entre les actionnaires de la deuxième génération, la salle de conférence devient rapidement trop petite et le nombre de décideurs finit par atteindre un niveau incontrôlable.

Dans une étude effectuée en 1986, John Ward a découvert que dans les entreprises qui survivaient à trois générations, l'éclaircissement de l'arbre généalogique constituait un facteur clé de succès. Il faut enrayer la croissance exponentielle de ceux qui se croient justifiés de donner leur opinion et d'orienter la stratégie de l'organisation. Trop de chefs gâte la sauce.

Pensons également à la sœur de maman, cette vieille célibataire qui a été engagée par pitié il y a 20 ans et qui s'immisce depuis dans la gestion des activités. Elle déteste tout ce qui pourrait mettre en danger sa sécurité d'emploi, même s'il y a longtemps que tout le monde est conscient de son incompétence.

Pensons aussi à tous ceux qu'on ne connaît pas vraiment et qui s'imposent aux assemblées annuelles. Les héritiers de l'oncle Fernand, par exemple, cet oncle qui possédait quelques actions sans avoir signé de convention entre actionnaires. Il a légué ses actions à un obscur parent qui s'est soudainement cru riche et qui cherche à s'assurer depuis que son bien est adéquatement géré.

LES CATALYSEURS DE CONFLITS

Maintenant que nous connaissons les principaux acteurs, passons aux catalyseurs de conflits. Ce sont les événements ou les situations qui ont pour effet de projeter les acteurs que nous venons de rencontrer hors de leur zone de confort et de sécurité. Sentant leurs intérêts propres en danger, ils décident à leur façon de retrouver leur bien-être. Mais en améliorant leur sort, ils en viennent souvent à créer un conflit parce que les moyens qu'ils prennent pour retrouver la quiétude portent souvent ombrage aux acquis d'un autre.

Chaque catalyseur sera présenté de la même façon. On retrouvera en titre une phrase prononcée par l'un des acteurs concernés. Suivra un court texte sur les raisons qui mènent souvent à cette situation et la période où on la retrouve le plus souvent. Finalement, des pistes sommaires de solution seront formulées.

Figure 3.1

« Tu ne me dis jamais rien »

C'est le catalyseur de conflit le plus important pendant la première période de croissance de l'entreprise. Il est exprimé par l'épouse du fondateur, laissée dans l'ignorance la plus totale par un mari qui s'est découvert une nouvelle religion : le culte du secret. Ce culte trouve son origine dans quatre causes.

Souci de protéger. C'est la raison officielle que se donne l'entrepreneur quand le reproche lui est adressé. Il ne voudrait pas énerver son épouse avec des choses qui le regardent personnellement. Elle a déjà assez de problèmes avec les enfants. Pourquoi lui faire endurer ses récriminations de fin de journée ?

Jetez un regard au graphique de droite. Il représente six points dans un encadré. Mais si vous êtes comme la majorité des gens, vous avez tendance à voir deux triangles placés côte à côte. C'est votre esprit qui fait ce travail et qui a créé quelque chose à partir de rien.

L'esprit humain, quand il n'a pas toute l'information nécessaire, utilise ce qu'il a à sa disposition pour se construire une vision cohérente du monde. Il ne supporte pas l'incertitude et assemble les éléments présents, créant et inventant de toutes pièces les morceaux qui manquent à sa compréhension.

C'est ce que fait l'épouse laissée dans l'ignorance. Et comme les signes extérieurs qu'elle a à sa disposition sont plutôt négatifs (fatigue du fondateur, attitude agressive, tendance à se plaindre des incompétents qui l'entourent...), il y a de forts risques que le monde qu'elle s'inventera sera pire que la vérité cachée. Pourquoi alors ne pas lui parler et dissiper ces craintes de soupe populaire ou de faillite qui hantent son esprit ?

Peur de s'ouvrir. Au fond de lui, l'entrepreneur pense souvent à la défaite. Il ne voudrait pas perdre tout ce qu'il a gagné parce qu'il associe erreur et déchéance. Cette hantise de l'échec est souvent projetée sur ses proches. Il refuse alors de faire part de ses rêves et de ses objectifs, de peur que s'ils ne sont pas atteints ou réalisés, ses proches le considéreront comme un raté. Le fondateur s'enferme alors dans un château imprenable et se coupe de ceux qui pourraient lui apporter un soutien véritable.

Incapable d'articuler sa pensée. Certains rougiraient s'ils devaient révéler leurs projets d'avenir, tellement ces projets leur semblent diffus et lointains. Ils sont incapables d'articuler leur pensée et le rêve qu'ils poursuivent est très vague. Pour eux, communiquer serait très bénéfique.

L'action d'expliquer à quelqu'un en qui on a confiance les objectifs que l'on poursuit oblige une certaine articulation de la pensée. Il faut mettre en ordre, parler de priorités et diviser le rêve le plus vague en étapes plus concrètes. C'est la base de l'élaboration d'une stratégie et un important gage de succès.

Si cette incommunication n'est pas prise en main assez tôt dans l'histoire de l'organisation, elle sera bientôt institutionnalisée et donnera naissance à une structure où l'information n'a pas le droit de circuler. Les cadres supérieurs, privés de l'information nécessaire à leur travail, navigueront à l'aveuglette ou laisseront le propriétaire prendre toutes les décisions. C'est précisément ce que le patron souhaite. Il ne leur a jamais fait pleinement confiance.

La quatrième source réside dans la *perception qu'entretient l'entrepreneur de sa conjointe*. Il peut se dire qu'elle ne comprendrait pas et cette perception se révélera fondée s'il attend trop longtemps avant de la mettre en contact avec les réalités de son entreprise. La société aura grandi en complexité et ce ne sera plus le temps de faire des cours de rattrapage.

« Il n'est pas de la famille et il gagne plus que moi ! »

Il est fréquent que des membres de la famille considèrent que leurs simples relations génétiques avec les fondateurs leur confèrent des droits qui ont préséance sur le rendement au travail et les compétences acquises. Ces personnes croient qu'il serait contre nature de verser à un simple employé un salaire supérieur à ce qu'ils retirent et verraient même comme un outrage que leur opinion ne soit pas considérée comme étant automatiquement supérieure et mieux éclairée que celles des employés « ordinaires ».

Ces *a priori* peuvent s'être développés avant l'entrée de l'enfant dans l'entreprise, alors que le moindre emploi à temps partiel lui permettait de gagner un salaire égal ou supérieur à celui des autres employés. C'était la façon qu'avait trouvée le brillant fondateur pour payer les études de sa progéniture avec des dollars avant impôts. Ce faisant, il avait créé un précédent.

Cette vision des choses peut également s'être développée après l'entrée officielle de l'enfant ou de son conjoint dans l'entreprise, à cause des relations particulières qu'ils vivent avec les employés. Ces derniers vont en effet avoir tendance à les traiter différemment. Enfants, gendres ou brus se retrouveront donc dans une situation où, tout en occupant les mêmes fonctions que les employés, ils ne feront pas partie du même groupe. Cette situation amènera souvent les membres de la famille à se considérer hiérarchiquement supérieurs, et si rien n'est fait, il y aura bientôt beaucoup de petits *boss* dans les rouages de l'organisation.

La multiplication des patrons dans l'organisation peut rapidement mener à des conflits majeurs et à des frustrations qui provoqueront le départ de bons employés qui ne savent plus qui est leur supérieur et qui choisiront la fuite. Les conflits seront encore plus importants si le membre de la famille en cause occupe un poste brumeux sans grandes responsabilités et sans importance particulière dans l'organisation.

Si cette situation prévaut lors d'un changement de génération dans la direction, ce n'est pas d'un, mais bien de plusieurs patrons dont héritent les employés. Il peut alors se passer deux choses : une lutte sans merci pour accéder à la présidence, ou l'ignorance délibérée de la source de tension et la gestion en parallèle de l'organisation.

Dans ces cas, les enfants ne nomment pas de président. Les employés se retrouvent donc avec plusieurs supérieurs qui donnent souvent des ordres conflictuels et qui se refusent à attaquer la question de la succession. On continue à vivre comme si le transfert de génération n'avait jamais eu lieu.

Vous devez faire savoir à tout ceux qui sont concernés que la famille et l'entreprise sont des entités distinctes. La multiplication des petits *boss*, si elle ne respecte pas un plan défini objectivement, mènera rapidement à l'anarchie et vous vous réveillerez seuls avec les employés accrochés, ceux qui ne peuvent trouver un autre emploi et ceux qui vous rapportent le moins.

« S'il n'était pas mon fils, il y a longtemps que je l'aurais mis à la porte ! »

Cette phrase, communiquée dans un moment de dépit à une conjointe qui n'en peut plus d'agir comme intermédiaire dans une guerre de tranchées entre le père et le fils, dénote un conflit qui, s'il n'est pas réglé au plus tôt, pourrait très bien emporter avec lui la famille, l'entreprise et les emplois qui s'y rattachent.

Si cette guerre a pour cause la résistance au changement du fondateur face à un enfant compétent qui est plus conscient des réalités organisationnelles, ces tensions sont saines et doivent être envisagées positivement.

Mais si ce conflit est le fruit de l'incompétence de l'enfant, de troubles du comportement (toxicomanie, alcoolisme) ou de son incapacité complète à se faire accepter des employés en place, il faut agir.

À tort ou à raison, le fondateur de l'entreprise se sent quelquefois obligé de garder un enfant dans l'entreprise, même si ce dernier est une nuisance. L'entrepreneur a peur qu'une mise à pied entraîne l'éclatement de la famille (il ne viendra plus réveillonner à Noël) ou que le rejeton se désintéresse de l'entreprise. Ce fondateur ne conçoit pas que l'on puisse hériter d'une compagnie sans la gérer.

Pendant ce temps, le respect du père envers l'enfant diminue et le nombre d'altercations augmente. Les employés se sentent obligés de prendre position et ils le font généralement en se rangeant du côté du fondateur, ce qui augmente encore plus les tensions. Les profits continuent alors leur descente et les revenus réels de la famille font de même.

Dans ces cas, ne serait-il pas plus intéressant de laisser en héritage les actions d'une entreprise bien gérée, quitte à ce que cette gestion soit prise en main par un gestionnaire professionnel qui n'est pas un membre de la famille ?

Il faut dans ces cas faire la différence entre la « possession » et la « gestion ». Le plus grand geste d'amour consiste à vous assurer du bien-être de ceux que vous chérissez. S'il y a plusieurs enfants, ne laissez pas l'un d'eux saccager les chances de réalisation des autres. Indiquez-lui la porte en lui faisant toutefois bien comprendre que vous l'aimez et qu'il reste le bienvenue à la maison. Il pourra recevoir, lors de l'héritage, les biens personnels (maisons, REER, placements...) tandis que les autres se partageront l'entreprise. Si vous procédez en expliquant votre geste, il n'aura pas l'impression d'avoir été mis de côté.

Si vous n'avez qu'un enfant et que vous vous entêtez à le laisser briser ce que vous avez patiemment construit, c'est vous qui êtes dans l'erreur. Cet enfant vous tiendra ultimement responsable de sa chute le jour où il se rendra compte des erreurs commises.

Si vous vous sentez incapable de mettre de l'ordre, il serait peut-être temps de songer à vendre pendant que l'entreprise a encore de la valeur. Vous n'aurez pas à mettre votre enfant à la porte et vous n'aurez pas à faire les frais d'une mauvaise administration. Cet enfant vous en voudra probablement, mais les choses se tasseront plus vite que si vous poursuivez pendant longtemps une guerre de tranchées qui ne fera pas de gagnant.

« Avec le bébé, il lui faudrait une augmentation »

Cette réflexion est un bel exemple de la tentation d'aligner les salaires des membres de la famille sur leurs besoins plutôt que sur leur rendement. Les besoins de chacun étant différents, cette façon d'administrer mènera rapidement au mécontentement et à la démotivation de ceux qui se croiront légitimement lésés.

Mettez-vous à la place de celui qui travaille comme un fou mais qui n'a qu'un enfant. Que pensera-t-il en voyant son frère ou sa sœur recevoir une augmentation après la naissance d'un second ou d'un troisième rejeton ? Se dira-t-il qu'il devrait peut-être travailler moins et orienter ses efforts vers l'agrandissement de sa petite famille ? Pensera-t-il que l'autre a réussi à se quêter une augmentation en jouant sur les sentiments de grands-parents que la joie rendait faciles à exploiter ? Et son animosité pour le frère ou la sœur grandira.

Encore une fois, c'est une confusion entre les rôles de la famille et ceux de l'entreprise qui est à l'origine de tels conflits. La famille est là pour chérir et soutenir ses membres. Tous sont égaux et tous méritent d'être soutenus et aimés. La famille ne fait pas de différence si l'un de ses membres est moins habile ou plus sympathique.

L'entreprise, quant à elle, doit rétribuer les employés selon leur rendement. On n'a que faire des besoins de chacun, car c'est sur le rendement qu'on se base et à ce titre, on versera une augmentation de salaire à quelqu'un qui le mérite, sans référence à ses besoins.

Cela ne veut pas dire que le propriétaire de l'entreprise doit se retenir et s'empêcher de faire un ou deux cadeaux à l'occasion. Il peut le faire, mais pas par le biais des salaires versés par l'entreprise. Le salaire doit en tout temps représenter une juste compensation pour le travail fourni et non une allocation variant selon les circonstances.

Félicitations si vous vous sentez généreux! Mais faites vos cadeaux à même vos propres ressources et non en vandalisant celles de l'entreprise. En tant que propriétaire, versez-vous un dividende de fin d'année qui servira à cette fin. Mais assurez-vous en tout temps que celui ou celle qui bénéficie de vos largesses connaît la nature du supplément qui lui est versé: c'est un cadeau, non un salaire. C'est le fruit d'un système de péréquation familiale, non un boni en raison du rendement ou une augmentation de salaire.

« Il faudrait bien parler de succession un jour ou l'autre »

La succession, la mort et la continuité de l'entreprise sont des sujets tabous dans l'entreprise familiale québécoise. Et pourtant, il faut envisager la mort si l'on veut être en mesure de bien planifier la continuité de l'entreprise.

Les réactions face à ce problème sont curieuses. Si le fondateur est le premier à soulever la question, les autres croient immédiatement qu'il a eu une petite attaque cardiaque et qu'il ne veut pas en parler. Si un enfant ou un gendre soulèvent la question, on les prend tout de suite pour des héritiers cupides et pressés. Finalement, si c'est l'épouse qui en parle, on la suspecte de s'être trouvé un amant. Il est très rare que la première personne à aborder le sujet ne soit pas forcée au silence par ce que Lansberg appelle la conspiration du silence.

Lansberg suppose que si trop peu de familles planifient la succession de l'entreprise, c'est que c'est dans le meilleur intérêt de chacun d'éviter la question. Le propriétaire ne veut pas en parler parce que cela reviendrait à avouer qu'il n'est pas immortel. Les enfants ne veulent souvent pas en parler parce qu'ils forceraient ainsi le fondateur à choisir un successeur et qu'ils briseraient en même temps le statut égalitaire qui prévaut. Quant à l'épouse, elle n'a pas vraiment envie de se retrouver avec un ex-P.-D.G. à la maison qui viendra lui dicter la façon de gérer son temps et d'entretenir sa cuisine.

Pourtant, s'il ne s'assure pas de la continuité de son entreprise et s'il ne prépare pas la relève, l'entrepreneur enferme ses enfants dans un piège qui peut être fatal. Lors de son décès, l'entreprise commencera à péricliter et ne sera plus que l'ombre d'elle-même. Les enfants, qui s'étaient dévoués depuis des années et qui ne connaissent que cet environnement, trouveront difficilement du travail ailleurs. Pourquoi tout sacrifier ?

Que penser aussi de l'entrepreneur qui décède en croyant fermement qu'il laisse une fortune à ses enfants, mais qui a oublié de tenir compte de la part que viendra chercher le fisc. Les éléments d'actif se retrouvent souvent dans les stocks ou les bâtisses, et il faut lourdement endetter l'organisation pour payer l'impôt. Ce n'est pas une fortune que le fondateur laisse alors, mais une énorme hypothèque qui, bien souvent, aura raison de l'entreprise et des enfants en quelques années. C'est ce que nous nommons le paradoxe du pauvre riche.

Le sujet de la succession doit être abordé, et il vaut mieux le faire plus tôt que trop tard, quand les options possibles auront disparu. Pourquoi laisser 3 enfants rêver pendant 20 ans à la présidence quand on sait très bien que seul l'un d'entre eux y accédera ? Ne vaudrait-il pas mieux traiter du sujet immédiatement et éviter les guerres de clans que l'annonce déclenchera? Si les enfants savent qu'ils ne pourront pas accepter de travailler sous la direction d'un des membres de la famille, ils peuvent encore se trouver quelque chose d'autre à faire. En sera-t-il ainsi dans 20 ans?

Ne jetez donc pas la pierre à la première personne qui aborde le sujet de la succession. Elle n'est pas nécessairement cupide et intéressée. Elle souhaite être éclairée. Elle veut savoir si le fondateur a tenu compte des impôts payables au décès, s'il entend préparer quelqu'un pour la relève et si elle-même aura toujours sa place dans l'entreprise au moment de la succession.

Le refus de faire face à ces questions dès maintenant plongera inévitablement la famille et l'organisation dans une tourmente infernale. Des espoirs seront brisés. Le respect mutuel sera souvent détruit. Le rêve disparaîtra.

« Tu ne peux pas partir ; on a besoin de toi »

C'est l'emprisonnement dans l'enceinte corporative d'un enfant qui aurait d'autres ambitions. C'est l'ignorance délibérée des aspirations personnelles de cet enfant au profit des espoirs du fondateur.

Cela n'est jamais fait pour « mal faire ». À partir du milieu de la quarantaine, l'entrepreneur commence à penser à la retraite. Mais il se dit que c'est une retraite partielle qui lui conviendrait le mieux. Comme la vente de l'entreprise ne lui donnerait plus la possibilité de s'immiscer dans la gestion courante de l'organisation, il se tourne alors vers son ou ses enfants. Avec eux, ce sera possible.

Sans planifier réellement la succession et jouer cartes sur table, il commence peu à peu à s'imaginer à la tête d'un empire familial où il jouerait le rôle du sage.

Officiellement à la retraite, il viendrait appuyer sa progéniture en cas de difficultés. Il pourrait ainsi s'assurer que l'entreprise est bien gérée et que personne ne vient mettre en péril ses revenus de retraite. C'est un beau rêve : une semi-retraite jumelée au contrôle absolu.

On imagine donc sans difficulté que le jour où l'enfant pressenti annonce son intention de devenir avocat, chirurgien ou ramoneur, le rêve du fondateur s'écroule. Qui va s'engager pendant qu'il supervise ? Qui va s'engager corps et âme pour faire continuer son rêve ? Il peut alors utiliser de nombreuses tactiques, toutes plus tordues les unes que les autres.

Il peut essayer de créer chez l'enfant récalcitrant un sentiment de culpabilité : « Nous avons bâti cela pour toi. Nous avons travaillé du soir au matin, sans relâche, sept jours par semaine. Nous y avons sacrifié notre santé, et tu viens maintenant nous dire que tu n'en veux pas. Tu n'as donc pas de cœur ? »

Il peut tenter d'utiliser les menaces : « L'entreprise va être divisée en parts égales entre les enfants qui y travaillent. Tu t'en vas. Tu n'auras rien. » Ou les promesses : « Je t'offre le double du salaire que tu ferais là-bas. Tu ne peux pas dire non à une telle offre. »

Dans tous les cas, ces tactiques, si elles réussissent à venir à bout de la résistance de l'enfant, sont des présages de temps difficiles. Celui qui travaille dans l'entreprise par esprit de sacrifice et qui n'a pas le moindre intérêt ne réussira jamais à passer au travers des épreuves qui l'attendent. C'est dès l'enfance qu'il faut apprendre à un enfant à aimer l'entreprise. Il doit comprendre les notions de risque et avoir une vision globale de l'organisation. S'il voit l'entreprise comme une voleuse de présence parentale et une source continue de discussions amères à la maison, personne ne devrait lui en vouloir de penser à autre chose.

Cet enfant se réalisera ailleurs et personne ne peut jurer qu'il ne reviendra pas un bon matin, fier de ses réalisations et prêt à relever de nouveaux défis.

PEUT-ON ALORS S'EN SORTIR ?

Face à tout ce que nous venons de voir, on peut être tenté de croire que l'entreprise familiale, à cause justement de la famille qui grandit parallèlement à elle, ne pourra jamais être aussi compétitive et aussi efficace que l'entreprise gérée professionnellement, sous l'œil d'un conseil d'administration qui songe bien plus à maximiser son investissement qu'à ménager les susceptibilités de chacun. Comment se fait-il alors qu'il existe encore des entreprises familiales et qu'elles n'aient pas toutes été remplacées par des entreprises publiques ?

Il est vrai que dans la grande entreprise, on règle les conflits plus facilement. Il suffit de dire à l'autre qu'il est dehors, de lui verser une prime de départ et de mettre quelqu'un à sa place. Nous avons vu que dans l'entreprise familiale, il est rare qu'on en vienne à cette solution.

En terminant, disons que si les conflits sont bien gérés et que les dirigeants s'astreignent à une planification stratégique efficace, l'entreprise familiale a tout ce qu'il faut pour sortir gagnante du combat quotidien qu'elle mène avec la grande entreprise. En voici quatre raisons.

1. **La vision à long terme.** Dans la grande entreprise, les administrateurs doivent présenter tous les trimestres un rapport financier sur lequel les actionnaires se basent pour déterminer s'ils doivent laisser leur argent dans l'entreprise. Si le rendement de la période n'est pas satisfaisant, les investisseurs se départissent de leurs actions ou des administrateurs.

Cette façon de faire a pour désavantage de garder l'attention des administrateurs sur le court terme et de leur faire dire non à des projets qui seraient rentables à long terme, mais qui imposeraient des sacrifices lors de leur mise en place. Ces administrateurs préfèrent se concentrer sur la rationalisation des dépenses ou sur la maximisation temporaire des ventes.

Les actionnaires d'une entreprise familiale ne font pas face à cette situation. Ils sont rarement informés des résultats financiers et, de toute façon, l'entreprise est davantage une garantie d'emploi pour eux qu'un placement générateur de dividendes. C'est pourquoi, dans un contexte où une bonne planification stratégique est effectuée, ils accepteront d'investir à long terme pour se garantir une plus grande part de marché ou une meilleure rentabilité.

2. **L'accent mis sur la qualité**. Il est plus facile de ne pas satisfaire un client quand c'est le nom de quelqu'un d'autre qui est affiché à la porte du magasin. L'esprit de clan force un respect de la famille et les membres de l'entreprise familiale ne voudront pas voir ternir leur réputation par un mauvais service, des camions sales ou des produits défectueux. Si l'entreprise perd un client, les membres de l'entreprise familiale en seront personnellement touchés. Ce n'est pas toujours le cas de l'entreprise publique.

3. **Une culture forte**. Dans une entreprise familiale où les conflits avec les employés sont bien gérés (nous verrons comment au chapitre suivant), une amitié véritable se développe souvent entre les employés et la famille. C'est ce que nous nommerons la « famille élargie ». On prend une bière ensemble à la fin d'une bonne journée de ventes et on s'extasie devant le nouveau-né d'un des employés.

Cette ambiance et cette camaraderie favorisent la croissance d'une culture forte. Chacun sait ce qui est attendu de lui, et les mécanismes de contrôle et d'encadrement n'ont pas à être nombreux pour que le travail se fasse. Les employés s'efforcent de bien faire leur travail, non pas pour éviter la réprimande de leur patron, mais pour ne pas être exclus du groupe. Pour eux, l'exclusion serait pire que la réprimande ou la mise à pied. Ils s'identifient tout autant à leur groupe de travail qu'à l'entreprise. Ils ont été adoptés.

4. **La flexibilité**. Tout comme dans une PME classique, il y a moins de niveaux hiérarchiques dans l'entreprise familiale que dans la grande entreprise. Chacun est en contact direct avec le patron et la décision d'abandonner un produit ou d'en développer un autre peut se prendre assez rapidement. La grande entreprise ne jouit pas de cet avantage. Les gestionnaires en place protègent leurs acquis et les jeux de coulisse nuisent souvent à la flexibilité.

Pensons à la vitesse de réaction. Pour planifier une promotion, la grande entreprise a besoin de semaines, sinon de mois. Face à l'annonce de cette promotion, le propriétaire de l'entreprise familiale peut décider la journée même d'aligner ses prix sur ceux de la grande entreprise. Il peut en quelques heures s'assurer que tous les employés sont au courant des nouveaux prix et annoncer à la radio une promotion supérieure à celle de son concurrent.

Tous ces avantages font que l'entreprise familiale, si elle est bien gérée, n'est pas en danger. Elle pourrait bien se révéler la clé qui fera de nous, dans les prochaines années, des compétiteurs farouches sur la scène internationale. Comment la grande entreprise pourrait-elle s'attaquer aux quatre avantages que nous venons d'énumérer ? Elle pourrait certes miser sur les faiblesses de l'entrepreneur, mais devant un désir sincère de s'améliorer, ce dernier s'en sortira gagnant.

À VOUS DE JOUER

Premier exercice : *philosophie de gestion.* Ce petit questionnaire résume ce que nous avons dit au sujet de la philosophie de gestion qui guide les membres de la famille. Répondez au questionnaire et encouragez les membres de votre famille à le faire, puis comparez vos résultats.

Tableau 3.2

LES 14 QUESTIONS POUR ÉVALUER VOTRE PHILOSOPHIE DE GESTION		
Énoncés	Vrai	Faux
1. Tous les membres d'une même génération reçoivent le même salaire.		
2. Les actions sont détenues également par les membres de la famille.		
3. Un dividende annuel concurrentiel est versé aux actionnaires.		
4. Tous doivent donner leur avis quand vient le temps de prendre une décision.		
5. C'est le consensus familial qui mène. S'il n'y a pas un consensus, on reporte la décision.		
6. Les membres de la famille peuvent s'engager dans la communauté locale si cela leur chante.		
7. Il y a une description de tâches pour chaque emploi occupé par les membres de la famille.		

Tableau 3.2 (suite)

Énoncés	Vrai	Faux
8. Les membres de la famille qui ne travaillent pas activement dans l'entreprise ne possèdent pas d'actions.		
9. Aucun dividende n'est versé. Tous les profits sont réinvestis.		
10. Les titres sont basés sur le mérite. Nous sommes en méritocratie.		
11. La participation aux événements communautaires est fortement encouragée.		
12. Des personnes de l'extérieur siègent au conseil d'administration.		
13. À compétences égales, les membres de la famille se voient offrir des emplois équivalents.		
14. Certains membres de la famille restent à l'emploi de l'entreprise même si leur contribution est négative.		

Reportez vos réponses sur la grille de la page suivante pour déterminer la philosophie dominante dans votre organisation. Si vous avez entre 10 et 14 points, votre entreprise est considérée comme devant servir les caprices des membres de votre famille. Faites attention et prenez garde de ne pas tuer la poule aux œufs d'or.

Si vous avez entre un et cinq points, c'est véritablement l'entreprise qui prime sur les besoins des membres de la famille, et si vous avez entre six et neuf points, vous vous trouvez au centre des deux façons de voir. Cela ne veut pas dire que votre situation soit

Accordez-vous un point si vous avez répondu...	**À la question...**	**Point (1 ou 0)**
Vrai	1	
Vrai	2	
Vrai	3	
Vrai	4	
Vrai	5	
Vrai	6	
Faux	7	
Faux	8	
Faux	9	
Faux	10	
Faux	11	
Faux	12	
Faux	13	
Vrai	14	
Total de vos points :		

meilleure ; il faut que cette vision soit partagée. C'est ce à quoi vous vous emploierez lors du prochain exercice.

Second exercice : *credo familial.* Un *credo* familial rédigé en groupe et accepté par tous est un gage de succès, non seulement parce qu'il focalise l'énergie de chacun vers la réalisation d'objectifs communs, mais aussi parce que le processus même de la rédaction oblige les personnes à se poser des questions qui reviendront éventuellement dans la planification stratégique de l'entreprise.

Profitez donc d'une prochaine rencontre familiale pour proposer la réalisation d'un *credo.* N'attendez pas le jour de la rencontre pour en parler. Parlez-en à chacun et obtenez à l'avance leur accord. Ils devraient même se préparer à l'événement en définissant leurs objectifs personnels et leurs projets de carrière.

Le jour de la rencontre, commencez par un tour de table où chacun fera part de ce qu'il a rédigé en préparation à l'événement. Dans votre rôle de facilitateur, vous devrez constamment ramener les gens à l'ordre tout en permettant le brassage d'idées. C'est un grand défi.

Essayez de définir les priorités de la famille. Faites la liste des forces que chacun de ses membres peut offrir à l'entreprise et faites une liste des besoins de l'organisation. Si cette dernière a des besoins qu'aucun membre de la famille ne peut combler, que ferez-vous ? Quelqu'un ira-t-il chercher les compétences nécessaires ou devrez-vous les trouver à l'extérieur de la cellule familiale ?

Quelqu'un avouera peut-être, alors que tous le croient intéressé, qu'il ne souhaite pas travailler dans l'entreprise. Que se passera-t-il alors ? Est-ce que la famille percevra ce refus comme un reniement ?

Doit-on automatiquement embaucher quelqu'un parce qu'il fait partie de la famille ? Pourrait-on exiger une formation minimale avant de l'accepter ? Que ferions-nous avec un gendre compétent s'il divorçait ? Sur quelle base devrons-nous établir le salaire des membres de la famille ?

Chacun doit donner sa perception de l'entreprise. Est-elle là pour satisfaire la famille ou est-ce le contraire ? Présentez des copies du questionnaire sur la philosophie de gestion et engagez le débat. Encouragez chacun à s'ouvrir. Ce sera difficile et il est peu probable que vous puissiez vous entendre sur un *credo* familial en une seule journée.

C'est un processus qui prend du temps. À la fin de la journée, vous n'aurez pas réglé tous les problèmes, mais si chacun connaît mieux les autres et s'il se connaît mieux lui-même, la résolution des futurs conflits sera beaucoup plus facile et les relations interpersonnelles seront nettement améliorées.

CHAPITRE 4

LA FAMILLE ÉLARGIE

L'entreprise familiale, si elle ne devait compter que sur elle-même, ferait rapidement face à une importante crise de croissance. Très tôt, le fondateur doit avoir recours à une main-d'œuvre « étrangère » qui, placée sous ses ordres ou sous les ordres d'autres membres de la famille, devra pallier le manque de temps du ou des propriétaires et s'acquitter, contre rémunération, des tâches déléguées.

Le fondateur doit alors sacrifier une partie du temps qu'il passe dans son rôle d'employé pour apprendre celui de patron. Cet apprentissage ne se fait pas sans difficultés, car la relation supérieur-subordonné, si elle reste froide et impersonnelle, tend à gêner le propriétaire-entrepreneur. Il n'aime pas être perçu comme un supérieur autocratique, froid et sanguinaire. Et même s'il agit souvent en dictateur, il ne souhaite pas être catalogué comme tel.

Très tôt, le fondateur adopte donc un style paternaliste qui le réconforte, car il a à ce moment l'impression, même s'il reste le patron, de faire partie du groupe. Cette approche semble l'aider. Le climat de travail est bon, les contacts avec le personnel sont chaleureux et le propriétaire commence rapidement à parler de son entreprise comme s'il s'agissait d'une grande famille.

Nous avons cependant déjà traité de la difficulté de mettre à pied des membres de la famille... Que se passe-t-il quand vient le temps de gérer cette famille élargie ? Le patron se retrouve-t-il, face à ses employés, avec les mêmes problèmes qu'il a déjà avec les membres de sa famille ?

PLUS QUE DE SIMPLES EMPLOYÉS

C'est le jeudi 23 septembre que Pierre Constant décida pour la vingt et unième fois de mettre Lucien Moreau à la porte. Vous direz qu'une décision prise une vingtaine de fois et chaque fois reportée ne peut pas être prise au sérieux. Mais pour la première fois, Pierre Constant l'inscrivit sur son agenda et, à ce titre, l'événement prenait une signification particulière.

Deux ans auparavant, après un accident de voiture qui avait impliqué son père et sa mère, Pierre avait hérité du commerce de peinture et de papier peint de ses parents. La transition avait été très difficile, car jusqu'à ce moment, Pierre n'avait pas participé à la gestion ; il s'occupait du service à la clientèle. L'apprentissage avait été difficile et les ventes avaient beaucoup baissé la première année. Mais l'entreprise avait maintenant retrouvé son chiffre d'affaires d'antan et tout indiquait un retour à la rentabilité dans l'année en cours.

Le magasin avait été fondé il y a 30 ans, et à trois reprises, on l'avait agrandi. Les clients étaient fidèles, et cela en grande partie à cause de l'équipe des ventes. Les vendeurs connaissaient les clients par leurs noms et ils étaient accueillis comme des membres de la famille. Cette touche personnelle permettait à l'entreprise de faire face aux chaînes qui s'étaient peu à peu installées dans la même zone commerciale.

Lucien Moreau faisait partie de cette équipe. Dès les débuts, il s'était joint au commerce et lui était toujours resté fidèle. Le père de Pierre avait souvent rappelé qu'en 1968, alors que les clients se faisaient rares, Lucien avait travaillé tout un mois sans recevoir le moindre salaire. Ce n'est qu'en 1970, deux ans plus tard, que le fondateur avait versé à Lucien ce salaire en souffrance. L'épisode avait fait date dans l'histoire du magasin.

Mais les hommes vieillissent et finissent par s'user. Déjà, au début des années 90, le rendement de Lucien avait commencé à diminuer. Alors au milieu de la cinquantaine, il montrait des signes de vieillesse. Il marchait plus lentement et sa vue diminuait. Sa mémoire faisait souvent défaut, il se trompait fréquemment de prix et sa façon d'approcher le client avait perdu de son charisme.

Alors qu'autrefois il se dirigeait rapidement vers le client et savait se faire accepter en l'espace de quelques minutes, Lucien hésitait maintenant à foncer et on le surprenait souvent à refaire les étalages au lieu d'aller vers le client. Ce n'est que lorsque tous les vendeurs étaient occupés qu'il se décidait finalement à répondre à un client et, plus souvent qu'autrement, il ne lui vendait rien.

Le père de Pierre s'était bien rendu compte que cet employé était maintenant inutile et qu'il ne le gardait qu'en mémoire des premiers jours de l'entreprise. Comment réduire au chômage quelqu'un qui ne pourra jamais se trouver un autre emploi et qui vous appuie depuis plus d'un quart de siècle ?

Tout ce temps, son rendement avait continué à diminuer, et Pierre s'était retrouvé avec le problème. Ce matin même, Lucien s'était trompé en faisant un devis, et le commerce, si Pierre décidait de respecter cet engagement, perdrait quelques milliers de dollars. Non seulement coûtait-il un salaire, mais son rendement était négatif. Pierre redoutait maintenant un effet d'entraînement sur les autres vendeurs.

Comment mettre à pied quelqu'un qui nous a vus grandir et qui ne se retrouvera jamais d'emploi ? Pierre était bien décidé à le faire, mais il savait d'avance qu'il s'en voudrait pendant longtemps. Chaque fois qu'il se promettait de passer aux actes, il décidait pendant la nuit de reporter sa décision. Serait-ce la dernière fois qu'il se torturait ainsi ?

ÊTRE EMPLOYÉ DANS UNE ENTREPRISE FAMILIALE

En tant que membre de la famille élargie, l'employé prend rapidement conscience de ce qui est attendu de lui. Des indices, plus ou moins subtils, lui font comprendre qu'il vaut mieux être loyal qu'indépendant, et que ce n'est pas en améliorant ses connaissances, mais plutôt en étant obéissant, qu'il assurera son avenir à l'intérieur de l'organisation.

Ce que le propriétaire lui dit implicitement, c'est qu'il est prêt à prendre soin de lui et de sa famille en autant que l'employé obéisse et réponde à ses attentes. Cette attitude paternaliste, que Levinson définit comme étant le type de management où l'on fait à l'égard des employés ce qu'ils devraient eux-mêmes faire pour améliorer leur sort, vient rapidement miner la capacité de renouvellement de l'organisation et transforme rapidement les employés en parasites.

Survolons la carrière-type d'un tel employé et essayons de comprendre où et comment une brillante acquisition peut rapidement devenir un poids que l'entreprise portera pendant des années. Nous diviserons cette carrière en trois étapes : le jeune prodige, le penseur dépendant et le prisonnier parasite.

• Le jeune prodige

Celui qui se trouve un emploi dans une entreprise familiale a souvent longtemps cherché ailleurs. Il aurait préféré, à cause des conditions de travail ou de la sécurité d'emploi, travailler au Gouvernement ou chez Bell Canada. Mais conscient du climat économique et décidé à gagner sa vie, il a rempli une demande d'emploi dans une petite entreprise, et c'est tout excité qu'il se rend travailler le premier jour.

Ce nouvel employé se rend immédiatement compte qu'il y a deux groupes dans l'organisation : les membres de la famille et les autres. Les membres de la famille semblent prendre les décisions et les autres les appliquent. On ne lui assigne pas de supérieur hiérarchique et, en guise de formation, on l'invite à prendre le premier avant-midi pour visiter les lieux et parler avec les autres.

C'est sur le tas qu'il apprendra le métier. Il n'existe pas de manuel de formation dans l'entreprise et le patron l'assure qu'au moindre problème, il n'a qu'à passer le voir et que tout s'arrangera. C'est le début d'une dépendance qui ira en s'accroissant, mais pour l'instant, il est très enthousiaste.

Trois facteurs expliquent à ce moment l'enthousiasme de ce travailleur pour son emploi. Sa position par rapport au pouvoir, l'élargissement de sa tâche de travail et la gentillesse de la direction, qu'il s'agisse des fondateurs ou des autres membres de la famille.

Il est très proche du pouvoir. Ce n'est pas dans cette entreprise que l'on a inventé les niveaux hiérarchiques. Et jour après jour, l'employé assiste à la prise de décision et il en voit immédiatement les effets. Il en vient à vénérer son supérieur hiérarchique (le *boss*) et prend goût à cette collégialité qui a cours dans l'organisation. Tous étant dans les faits au même niveau hiérarchique, la compétition est à peu près inexistante.

Les frontières entre les fonctions sont mal définies et chacun change d'occupation au rythme du travail. Si l'employé est dans un commerce de détail et que la clientèle se fait rare, on l'enverra livrer. Si la secrétaire va dîner, il la remplacera quelques minutes. Sa vision de l'organisation productive est globale. Cette période est donc caractérisée par un apprentissage continu et ses facultés intellectuelles sont constamment au travail.

Tout le monde est gentil avec lui. Les membres de la famille n'ont aucune crainte de voir ce nouveau leur ravir leur poste, quelle que puisse être sa formation. Il est donc bien accueilli. Quant à l'attitude des autres employés, l'absence de compétition et de hiérarchie produit le même effet. Son intégration est donc rapide.

Tout autour de lui, des signes évidents lui démontrent qu'il ne s'agit pas seulement d'un emploi ordinaire. C'est véritablement dans une grande famille qu'il est tombé. Tous reçoivent un cadeau à Noël, peu importe leur rendement durant l'année écoulée. Ils ont accès aux camions de l'entreprise s'ils veulent déménager ou si leur beau-frère déménage. S'ils éprouvent des difficultés temporaires, le patron se fera même un devoir de les épauler financièrement, le temps qu'ils se remettent à flot.

Quand ce travailleur pense à ceux qui travaillent dans de grandes entreprises publiques, loin des décideurs, dans des immeubles et des bureaux impersonnels, il en vient à avoir pitié d'eux.

• Le penseur dépendant

Cependant, l'employé cesse bientôt d'apprendre et commence à s'encroûter. Ce qu'il a appris jusqu'ici était de nature technique et, à ce titre, son apprentissage tire à sa fin. L'information qui lui permettrait de penser et de décider est jalousement gardée par le *boss*. Le travailleur en est conscient, mais ne s'en formalise pas. Il sait maintenant que le patron a toujours raison et que ce monopole de la connaissance est nécessaire au succès de l'entreprise.

C'est d'ailleurs le patron que l'on va voir chaque fois qu'un problème se présente, et à chacune de ces occasions, il s'en occupe. L'employé n'a même pas à apprendre à régler les problèmes. Le *boss* est là et l'employé en est carrément dépendant.

Les années s'écoulent, mais on ne peut plus dire à partir de ce moment que l'expérience du travailleur grandit. Il court sur place et n'avance pas. Mais le confort et l'ambiance compensent ce léger inconfort et il continue à se sentir bien.

Il arrivera à ce moment que, libéré de l'obligation de penser dans le cadre de son travail, l'employé se mette à réfléchir sur son avenir. Quelles sont maintenant ses chances d'avancement ? Comment pourrait-il améliorer son sort ? Personne ne parle de croissance et les enfants auront sûrement accès en premier aux emplois de direction. Il se rend compte qu'il plafonne et que s'il demeure en poste, il sera toujours au même niveau quand il prendra sa retraite.

Certains quitteront l'entreprise à ce moment pour travailler ailleurs, mais d'autres vivront une expérience très amère. À la recherche d'un nouvel emploi, ils devront comprendre que les 15 ou 20 années qu'ils viennent de passer dans la même entreprise ne les ont pas préparés à travailler ailleurs. Leurs occupations sont tellement particulières à l'entreprise que leur savoir n'est pas transférable. Ils n'ont pas de valeur sur le marché de l'emploi. Ils sont prisonniers.

Ils se résigneront donc à finir leurs jours dans l'entreprise familiale qui les nourrit depuis leur entrée sur le marché du travail. Pour meubler leur vie, plusieurs développeront des passe-temps et s'engageront dans des activités communautaires, tandis que d'autres iront s'engouffrer dans des activités non recommandables. Leur présence au travail sera plus physique que mentale. Ils seront devenus des parasites.

• Le prisonnier parasite

À ce moment, l'employé espère par-dessus tout que son patron vive plus longtemps que lui. C'est sa sécurité et l'assurance d'une vieillesse tranquille. Depuis le temps que cet employé est témoin de l'ignorance dans laquelle sont gardés les enfants (et qu'il en rit avec ses collègues), il s'est peu à peu persuadé qu'ils seront incapables de gérer l'entreprise et il en est venu à les considérer comme une menace à sa sécurité. Les relations avec eux deviendront alors plus difficiles.

L'initiative a depuis longtemps quitté ses habitudes de travail. Si le patron demande son avis, il hoche la tête et attend la réponse qui suivra inévitablement. Si un enfant propose une amélioration aux méthodes de travail, il se rangera du côté du fondateur pour écraser la menace de changement. Il est immuable et il espère le demeurer.

Le patron lui-même se rend compte de la baisse exponentielle de rendement de ce prodige d'antan. Mais comment se débarrasser d'un ami qui est avec nous depuis les tout débuts et qui nous a toujours appuyés ? Lui faire prendre sa retraite ? Cela obligerait ce patron à avouer que lui aussi a vieilli et qu'il devrait peut-être faire de même. Pas question ! Ce sont les jeunes qui hériteront du problème.

Le tableau qui suit résume et complète ce que nous venons de voir. Nous y constatons que les risques de conflits vont en augmentant à mesure que se prolonge l'emploi, mais que la possibilité de les régler facilement diminue fortement après la seconde période.

Tableau 4.1

LA CARRIÈRE-TYPE D'UN EMPLOYÉ DANS L'ENTREPRISE FAMILIALE EN 3 ÉTAPES

Période **Caractéristiques**	Jeune prodige	Penseur dépendant	Prisonnier parasite
Intérêt au travail	Élevé	Modéré	Nul
Apprentissage	Énorme	Faible	Faible
Rendement au travail	En croissance	Bon	Faible
Sentiment de responsabilité envers l'employé	Faible	Moyen	Élevé
Dépendance face au patron	Faible	Élevée	Élevée
Relations avec les enfants	Bonnes	Moyennes	Polies mais difficiles
Valeur sur le marché du travail	Bonne	Faible	Nulle
Potentiel de conflit	Faible	Modéré	Élevé

En voulant être trop généreux envers les employés, vous compromettez leur sécurité et leurs chances d'accomplissement. Ce cheminement n'est heureusement pas inévitable. Des mesures peuvent être prises pour casser le lien de dépendance, mais il vaut beaucoup mieux ne pas le laisser se former.

LES 9 CONSEILS POUR ÉVITER LE PARASITISME

Ne croyez pas que le parasite soit heureux de recevoir plus qu'il ne donne à l'entreprise. Il est conscient de sa situation, mais ne voit pas comment s'en sortir. Il aimerait redevenir un élément productif, mais la structure et la culture de l'entreprise ont fait de lui un révolutionnaire assis. Il marmonne, peste contre ce qui l'entoure, mais son besoin de sécurité est tel que jamais il ne décidera que les choses doivent changer. Vous devez l'aider et, pour ce faire, voici quelques conseils.

Tableau 4.2

LES 9 CONSEILS POUR ÉVITER LE PARASITISME

1. Changez votre mode d'appréciation
2. Évitez la stagnation corporative
3. Arrêtez de les materner
4. N'attendez pas pour dire adieu
5. Offrez une bonne formation à vos employés
6. Procédez à une définition des tâches
7. Éliminez l'arbitraire
8. Ne menez pas par la peur
9. Faites de vos réunions des dialogues

1. *Changez votre mode d'appréciation.* C'est le rendement et l'acquisition de connaissances qui devraient servir à évaluer un employé. La loyauté et l'obéissance viendront automatiquement si le rendement est adéquat. En récompensant la loyauté plutôt que le rendement (souvent parce que vous n'avez pas mis en place les instruments de mesure nécessaires à une évaluation

objective de la performance), vous encouragez le développement du comportement parasitaire.

2. *Évitez la stagnation corporative.* Cet ouvrage n'est pas consacré à la planification stratégique, mais vous devez retenir que sans projet d'avenir connu des employés, vous êtes voué à perdre vos éléments les plus prometteurs.

Si personne ne sait que l'entreprise continuera à exister après le décès de l'entrepreneur et qu'un programme de transition de génération est déjà en cours, l'employé intelligent se dira qu'il vaut mieux quitter le bateau avant qu'il n'ait chaviré. Ce n'est pas un manque de loyauté ; c'est le gros bon sens !

De plus, si vous avez des projets d'avenir et de croissance, celui qui a du potentiel restera dans l'entreprise, car des occasions de promotion se présenteront. L'entreprise qui stagne n'attire plus que les accrocheurs. Mais pour ce faire, vous ne devez pas seulement vous contenter de rédiger un plan stratégique ; vous devez aussi en communiquer certains éléments aux membres de votre organisation.

3. *Arrêtez de les materner.* Nous avons vu que dès la seconde phase de son cheminement dans l'organisation, l'employé maîtrise déjà la majorité du savoir technique nécessaire. Si vous voulez le voir continuer à apprendre, donnez-lui accès aux outils qui lui permettront de réfléchir. Il doit être en mesure de savoir si sa performance est valable. Il doit pouvoir prendre des décisions face à un client et il doit arrêter d'aller vous voir chaque fois qu'il éprouve des difficultés.

Le problème, c'est que cela fait souvent votre affaire. Vous avez ainsi l'air occupé et cette monopolisation de l'information vous rend indispensable au bon fonctionnement de l'entreprise. Mais ce faisant, vous vous maintenez dans le quadrant nord-ouest de la matrice de gestion du temps et vous négligez vos rôles d'actionnaire et de gérant-planificateur.

4. *N'attendez pas pour dire adieu.* Si vous attendez qu'un employé se retrouve en troisième phase pour l'évaluer objectivement, vous vous en voudrez de ne pas l'avoir mis à pied dès les débuts et, pour vous punir, vous le garderez sur votre liste de paie jusqu'à sa retraite. Mettez sur pied un processus d'évaluation périodique, faites connaître aux employés les critères à partir desquels ils seront évalués et concentrez-vous sur les faits, non sur les personnes.

En agissant de la sorte, une mise à pied ne vous fera pas passer pour un capitaliste cruel et sans cœur. Il arrive souvent qu'un entrepreneur ne dise rien et accumule de la rancune envers un employé qui ne l'apprendra que le jour où il est mis à la porte. Cette façon de faire diminue fortement l'estime que tous les employés ont à votre égard.

5. *Offrez une bonne formation à vos employés.* Si vous leur apprenez à apprendre et que vous leur en donnez l'occasion, ils conserveront leur enthousiasme et s'appliqueront au travail. Contents de mettre en pratique ce qu'ils viennent d'étudier, ils resteront à l'affût des changements nécessaires dans l'organisation et seront mieux en mesure de comprendre la portée de vos décisions.

De plus, en formant mieux vos employés, vous les transformerez en interlocuteur efficace. Ils n'hésiteront pas à vous demander les raisons de telle ou telle décision, vous forçant ainsi à articuler votre pensée et à mieux définir vos objectifs à long terme. Cette interaction peut mener au jaillissement d'idées qui révolutionnent une industrie et qui permettent l'émergence de nouveaux leaders.

6. *Procédez à une définition des tâches.* Sans mettre un terme à l'élargissement des tâches qui amène un

employé à multiplier les choses qu'il a à faire, la rédaction d'une définition des tâches vous permettra de faire savoir aux employés ce qui est attendu d'eux, de déterminer les caractéristiques essentielles à l'employé qui souhaite obtenir un poste et d'évaluer les besoins de formation des employés en place pour qu'ils soient plus efficaces au travail.

Si vous vous astreignez à ce travail, vous vous rendrez probablement compte qu'il y a présentement duplication de certaines responsabilités et que certaines tâches sont mal effectuées. Vous vous rendrez compte que certains postes ne servent absolument à rien, pendant que d'autres sont surchargés. Vous prendrez conscience de l'existence de problèmes qui ne peuvent pas attendre.

7. *Éliminez l'arbitraire.* Évitez les décisions reliées à des facteurs autres que la performance ou la compétence. Par exemple, ne donnez pas une augmentation de salaire sur la base d'une naissance. Ce n'est pas un critère de performance au niveau du travail.

8. *Ne menez pas par la peur.* Ne dites pas à vos employés que s'ils ne travaillent pas davantage, le commerce fermera. Vous n'arriverez pas à les motiver de cette manière ; ils commenceront plutôt à se chercher un emploi ailleurs en prévision de la fermeture.

Optez plutôt pour le contrat social. Entendez-vous sur un objectif à atteindre et fixez à l'avance les dates où le degré de réussite sera mesuré. C'est en lui que l'employé trouvera sa motivation. Autorisez-le et cessez de lui faire peur. Cela ne vous mènera à rien.

9. *Faites de vos réunions des dialogues.* Dans beaucoup d'entreprises familiales, les rencontres sont tenues irrégulièrement et résultent davantage du besoin du propriétaire de se défouler que des besoins de développement et d'amélioration de l'organisation.

Un bon matin, le patron en a assez et il décide que le temps est venu de redresser la façon dont tous travaillent. Il annonce alors la tenue d'une réunion pour le soir même et ne distribue pas d'ordre du jour. Les employés passent la journée à se demander ce qu'ils ont fait de mal et à s'inventer des excuses qui, le soir venu, ne seront même pas écoutées parce que le patron n'est pas là pour tendre l'oreille : il est venu se défouler devant cet auditoire captif qu'il sait faire frémir en lui présentant les spectres de la fermeture, de la déchéance et de la mendicité. Des phrases telles que « Je vais tout vendre et m'en aller en Floride » ou « Si ça ne s'améliore pas, c'est la faillite » ont fait leurs preuves et savent clore le bec au récalcitrant le plus endurci.

Faites de vos réunions avec les employés des occasions de dialogue. Profitez-en pour inciter la réflexion et communiquer vos objectifs à court, moyen et long terme. Apprenez à vous défouler avant la rencontre ; vous serez en mesure d'écouter davantage.

Ces neuf conseils devraient vous aider à empêcher l'encroûtement progressif de vos ressources humaines. Il va sans dire que vous augmenterez ainsi la valeur de vos employés sur le marché et qu'ils ne seront plus prisonniers. Le risque de les voir partir vers un autre emploi, si vous n'êtes pas à la hauteur de leurs nouvelles aspirations, augmentera nettement.

Mais ne vaut-il pas mieux avoir un groupe motivé, plus indépendant et capable de faire face à la musique ? L'idée de supporter le bois mort et d'imposer une contrainte financière supplémentaire à l'organisation devrait suffire à vous en persuader. Dans un monde où les produits et les prix tendent de plus en plus à se ressembler, c'est sur les employés que se bâtira le succès. Assurez votre succès dès aujourd'hui.

Tableau 4.3

POUR RÉUSSIR VOS RÉUNIONS

1. Tenez les rencontres à intervalles réguliers.
2. Distribuez l'ordre du jour au moins une semaine à l'avance. Les gens pourront se préparer et ne pas se cantonner dans le rôle passif de l'auditeur attentif.
3. Séparez les groupes. Par exemple, ne laissez pas les vendeurs, les secrétaires ou les livreurs s'asseoir ensemble, en groupes homogènes. Il faut favoriser le choc des idées, tant au niveau des besoins que de celui de la perception.
4. Prenez d'abord 15 minutes pour présenter la situation telle que vous la percevez et divisez le groupe en unités plus petites qui auront 20 minutes pour proposer des solutions.
5. Demandez à chaque groupe, par l'intermédiaire d'un secrétaire choisi pour la circonstance, de faire un rapport oral des discussions (de 10 à 20 minutes). Ce rapport confirmera ou non votre diagnostic et présentera une stratégie générale.
6. Faites en sorte qu'un débat s'engage et que le consensus se fasse autour d'une ou de deux stratégies générales (20 minutes). N'hésitez pas à rappeler le groupe à l'ordre chaque fois qu'il s'égare.
7. Divisez le groupe en unités spécialisées une fois le diagnostic posé. (ex. : livraison, ventes, administration). Ces unités auront 20 minutes pour déterminer les actions à entreprendre dès le lendemain afin de mettre en branle la stratégie choisie.
8. Demandez à chaque unité de présenter ce qui se fera dès le lendemain et au groupe d'approuver ou non ces propositions. Des responsabilités sont attribuées et notées.
9. Déterminez une rencontre de rétroaction visant à vérifier la mise en œuvre et la faisabilité de la stratégie choisie.

LES CATALYSEURS DE CONFLITS

Nous aborderons maintenant quelques-uns des événements quotidiens qui cachent des conflits latents. Tout comme au chapitre précédent, nous commencerons par le commentaire d'une des personnes concernées. Suivra un court texte qui traitera de la cause la plus fréquente à l'origine de ce commentaire, et nous terminerons en suggérant certaines avenues de résolution propres à désamorcer le conflit.

« Est-ce que je t'ai raconté la fois où il est parti livrer avec un camion vide ? »

Les employés, et surtout les cadres supérieurs, voient souvent d'un mauvais œil l'arrivée dans l'organisation d'un fils ou d'une fille. Ils considèrent le rejeton comme une menace directe à leur progression dans l'organisation parce qu'ils savent que le népotisme ce membre de la famille fera avancer rapidement un membre de la famille.

Ils auront donc tendance à être à l'affût des moindres erreurs et se laisseront tenter par l'envie de piéger le nouveau, si c'est possible. On rira des bévues du débutants et on les racontera aux nouveaux pour qu'ils soient bien conscients du fait que « le jeune » n'a pas l'envergure de son père. Ce comportement entraîne deux conséquences néfastes.

D'abord, les employés ne se rendent pas compte de la situation. Ce nouvel arrivant, plutôt que d'être considéré comme une menace, devrait être vu comme l'assurance de leur sécurité d'emploi. C'est sur ses épaules que reviendra la responsabilité de faire survivre et progresser l'entreprise. Si l'on cherche à lui nuire et si l'on freine son apprentissage, il ne sera peut-être pas prêt le jour où ce sera son tour.

De plus, cette façon qu'ont les employés de déprécier leur futur supérieur et d'entretenir à son égard une image de perdant exerce une influence importante sur les relations qu'ils entretiennent avec ce nouvel arrivant. Il est probable que ce dernier ne leur fera pas confiance plus tard et qu'il pensera à les remplacer. Ce faisant, il se privera d'une main-d'œuvre compétente et expérimentée. Il existe heureusement quelques moyens qui peuvent empêcher que cela n'arrive.

Le jeune peut être encouragé à aller chercher son expérience ailleurs que dans l'entreprise familiale, dans un endroit où il ne jouira pas du statut de fils à papa. En plus d'y prendre l'assurance dont il ne bénéficie pas pour l'instant, il sera ainsi libre de tirer le meilleur parti des erreurs que tout nouveau fait inévitablement. À son arrivée dans l'organisation, il ne sera pas la risée de tous et la honte de ses parents.

Déterminer et annoncer le plus tôt possible le remplaçant du président et le moment de la transition du pouvoir éliminent aussi cette source de tension. Au lieu de considérer le nouveau comme un adversaire à battre dans une course à la « chefferie », les employés le voient immédiatement comme leur futur patron. Ce moyen améliore automatiquement la qualité des relations.

« On ne sait jamais rien ici »

C'est la raison la plus souvent utilisée par les employés dont le rendement est déficient. Ils ont constaté les faiblesses de l'organisation, puis décidé que cela ne donnait rien de proposer des améliorations aux routines et aux procédures en place. À partir du moment où ils décident que les failles du système ne sont pas leur affaire, ils décident en même temps que tout ce qui arrivera dorénavant ne peut relever de leurs responsabilités et que c'est la faute des patrons si cela va mal.

Ces employés diront « on ne sait jamais rien ici » pour laisser entendre que les décisions sont prises à un échelon supérieur et qu'ils n'ont pas voix au chapitre. Ils diront également « ils sont tellement mêlés, je comprends que ça aille mal » pour masquer leur peu d'empressement à régler les problèmes. Cet état d'esprit, est-il besoin de le mentionner, ne pourra jamais rendre une organisation performante.

Nous avons, par exemple, déjà visité une entreprise où un frère et une sœur ne se parlaient plus. Si un employé faisait une erreur, il en reportait la faute sur les mauvaises instructions du frère ou de la sœur, et l'autre enfant gobait immédiatement l'explication. Tant que la faute pouvait retomber sur le frère ou la sœur détestée, la compétence de l'employé n'était pas remise en question. Le conflit avait remplacé le manuel de politiques et de procédures.

Si cette situation prévaut dans votre entreprise, il est temps d'établir des procédures qui seront communiquées assez clairement afin de responsabiliser les ressources humaines face à ce que vous êtes en droit d'attendre d'eux. Qui est le patron, après tout ?

Installez un babillard dans un endroit où les employés passent tous les jours. Affichez-y votre politique en matière de service à la clientèle, votre politique sur les congés d'employés. Si vous n'avez pas de politiques établies, c'est le temps d'y penser. Entre autres choses, une politique sur le service après-vente vous libérera, car les employés ne pourront plus vous repasser les problèmes.

Apprenez à ne pas leur donner raison quand ils disent que vous les maintenez dans l'ignorance. Affichez les publicités avant que les consommateurs ne les reçoivent. Mettez votre personnel à contribution. Mieux vaut trop communiquer que ne pas le faire assez.

Instituez une politique d'évaluation périodique du rendement et dites à vos employés ce que vous attendez d'eux. S'ils ne le savent pas, c'est vous qui êtes responsable du climat de travail déficient. Ne vous montrez pas sous votre plus mauvais jour et faites votre part du travail.

« Le petit *boss* est arrivé »

Les enfants qui arrivent dans l'entreprise, ou même leurs conjoints, ont souvent tendance à croire que parenté et omniscience sont synonymes. Étant liés aux propriétaires, par le sang ou par alliance, ils ne peuvent concevoir qu'un employé « ordinaire » ait raison et qu'eux aient tort. Ils s'imposent alors dans une série de secteurs et s'immiscent entre la direction et les employés. N'étant pas conscients des plans à moyen et à long terme, ils vont souvent à contre-courant des intérêts de l'organisation et nuisent aux efforts investis pour bâtir une équipe solidaire et engagée. Ce n'est pas souhaitable.

Cette prolifération de petits patrons, nous l'avons vu, peut agir comme facteur démoralisateur chez les employés et détériorer rapidement le climat de travail. Ces derniers n'arrivent pas à comprendre qu'un incompétent notoire ait le dessus sur eux et qu'il puisse se sortir facilement de situations qui les auraient conduits directement à la porte.

Si cet état de choses se prolonge sans intervention des dirigeants, cela contribuera à faire grandir une attitude de je-m'en-foutisme chez tout le monde. Les employés se diront : « S'il sait tout, qu'il le fasse luimême. Je m'en lave les mains. Pourquoi s'éreinter quand notre contribution ne pèse pas plus que ça dans la balance ? » Ceux qui ne seront pas prêts à se laisser écraser choisiront tout simplement de quitter l'entreprise pour aller se réaliser ailleurs. Ce sera souvent les meilleurs éléments qui partiront ainsi.

Cette situation, comme toute situation qui encourage les employés à se déresponsabiliser, doit être évitée à tout prix. Le fils ou la fille, le gendre ou la bru, doivent avoir un poste déterminé, un supérieur désigné et une description de tâches qui servira de base à une évaluation périodique.

Les enfants et leurs conjoints doivent savoir que l'entreprise n'est pas une monarchie et que la pérennité n'existe pas. La santé d'une entreprise se fait jour après jour, client après client. Il est inacceptable que chacun joue selon son propre plan de match.

Les employés doivent savoir qu'il n'y aura pas de passe-droits et de statuts distincts dans l'entreprise. Ils doivent même se sentir libres de se plaindre si un membre de la famille nuit à leur travail. Ainsi revalorisés, ils travailleront avec plus de cœur et se sentiront davantage concernés.

Quant au membre de la famille rabroué, il comprendra rapidement que c'est dans l'intérêt de la famille et de l'organisation d'empêcher une multiplication des décideurs. S'il souhaite vraiment superviser, évaluez ses compétences et le profil idéal d'une personne occupant un tel poste. Déterminez ensemble quelles compétences sont nécessaires et mettez sur pied un plan de formation.

À VOUS DE JOUER

Faites les trois exercices suivants. Le premier vous permettra d'évaluer comment vous gérez vos ressources humaines, le deuxième vous assistera dans la planification d'un programme de formation, tandis que le troisième vous permettra de mettre sur pied un programme de motivation.

Premier exercice : *vos ressources humaines.* Répondez aux questions de l'encadré par vrai ou faux.

Tableau 4.4

LES 12 QUESTIONS POUR ÉVALUER VOTRE GESTION DU PERSONNEL*

Énoncé	Vrai ou faux
1. La plupart de nos employés sont motivés et heureux de travailler pour notre entreprise.	________
2. Nous disposons d'un programme systématique de formation.	________
3. Nous disposons d'un programme de supervision des employés.	________
4. Le salaire des membres de la famille est identique à celui du marché.	________
5. Notre processus d'embauche est systématique.	________
6. Les chicanes familiales ne débordent jamais dans la gestion de l'entreprise.	________
7. Il n'y a pas d'emploi à vie dans notre organisation. Ceux qui ne sont pas à la hauteur sont remplacés.	________
8. Les critères de promotion sont clairement établis.	________
9. Les membres de la famille sont promus au mérite.	________
10. Nous encourageons la communication, même si elle sert à critiquer les décisions managériales.	________
11. Nos employés ont une image claire de notre mission. Ils savent comment ils peuvent y contribuer.	________
12. Nous avons des descriptions de tâches pour chaque poste et nous nous y référons lors de l'évaluation périodique de chaque employé, qu'il soit ou non membre de la famille.	________

* Adapté du livre de Benjamin Benson et autres, *Your Family Business, a Success Guide for Growth and Survival*, Business One Irwin, 1990, 260 p.

Si vous avez plus de trois ou quatre « faux », votre gestion des ressources humaines devrait être révisée. Nous ne parlons pas ici de la bureaucratiser et de restreindre votre capacité d'adaptation. Nous parlons plutôt de maximiser le rendement d'une de vos plus précieuses ressources, vos employés.

Deuxième exercice : *un plan de formation fait sur mesure.* Oubliez pour un instant la famille et les employés. Concentrez-vous sur l'entreprise et dressez un organigramme complet. Indiquez chaque poste nécessaire au bon fonctionnement de l'entreprise et définissez les liens d'autorité qui les relient.

Pour chaque case de l'organigramme, préparez ensuite une description de tâches et dressez un profil de formation idéale. Quels attributs celui qui occupe ce poste devrait-il posséder ? Si vous aviez à publier une annonce pour combler ce poste, comment la rédigeriez-vous ?

Répertoriez ensuite toutes les personnes qui figurent sur la liste de paye de votre organisation. Prenez alors chaque personne de cette liste et intégrez-la à l'organigramme selon ses forces et ses faiblesses que vous lui reconnaissez. Il ne faut pas considérer le poste que la personne occupe présentement. N'omettez personne. Il pourrait arriver que vous ayez trop de noms pour le nombre de postes à combler. Se pourrait-il que vous payiez des gens à ne rien faire ou que deux ou trois personnes fassent le travail d'une seule ou inversement ? Il pourrait arriver que certaines personnes n'aient pas de poste précis et que vous ne puissiez pas les placer dans l'organigramme. Que font-elles présentement ? Comment pourriez-vous les utiliser ?

Vous n'avez pas à replacer ces personnes dans les cases qu'elles occupent présentement. Utilisez votre créativité et placez-les là où l'organisation a besoin d'elles en fonction de leur potentiel.

Comparez ensuite chacun des employés que vous venez de placer avec l'annonce que vous avez rédigée. Quel écart y a-t-il entre les acquis de la personne et la formation souhaitée ? Faites ce travail pour tous les employés.

Il vous reste maintenant à établir des priorités et présenter à chacun le résultat de vos réflexions. Vous serez surpris du nombre d'employés (surtout ceux qui sont à la phase deux, celle du penseur dépendant, de leur développement dans votre organisation) qui seront prêts à élaborer avec vous un plan de formation qui fera d'eux les personnes idéales pour le poste auquel vous les destinez.

Un bon programme de formation, c'est celui qui tend vers l'équilibre entre l'individu, ses caractéristiques, sa formation et le travail à effectuer. Ne montrez pas à vos employés des choses dont ils n'auront pas besoin et ne leur imposez pas un apprentissage pour lequel ils n'ont aucun intérêt ou aucune aptitude.

Troisième exercice : *un programme de motivation bien pensé.* Dans un premier temps, déterminez une composante de votre entreprise qui devrait être améliorée. Ce peut être une augmentation du volume des ventes, une diminution des erreurs de production ou une amélioration des marges bénéficiaires. Montez ensuite un programme d'incitation en suivant les règles qui vont suivre.

Définissez clairement comment vous allez mesurer la performance de chacun. S'agit-il d'un programme qui s'adresse au groupe (souvent utilisé pour l'amélioration du contrôle de la qualité) ou à chaque personne (souvent utilisé pour l'augmentation des ventes) ? Vous ne devez pas simplement parler d'augmentation des ventes. Vous pouvez par contre annoncer que l'objectif sera atteint si les ventes du mois dépassent de 12 % celles du même mois de l'année dernière.

Attribuez des objectifs qui sont chiffrables et réalisables et offrez une récompense qui a de la valeur. Si vous annoncez que celui qui triplera les ventes du mois passé recevra un stylo Bic arborant le logo de l'entreprise, vous serez probablement déçu des résultats. Si vous fixez des objectifs irréalistes, ils sauront en partant que c'est perdu d'avance et ils ne feront pas le dixième des efforts qu'un bon programme pourrait les inciter à faire. Le programme doit motiver les gens.

Ne mesurez pas la performance des employés sur des facteurs qu'ils ne peuvent contrôler. Si vous mettez sur pied un programme d'amélioration de la qualité, mais que, pour financer les primes versées, vous réduisez le programme d'entretien préventif de l'équipement, vous venez de vous tirer une balle dans le pied. Le message que vous enverrez alors sera ambigu et personne ne vous prendra au sérieux. Si les employés n'ont aucun contrôle sur les facteurs de performance, ils n'auront aucun intérêt à essayer d'améliorer leur rendement puisqu'ils sauront avant de commencer que c'est peine perdue.

Soyez le plus simple possible et communiquez clairement l'événement. N'inventez pas des méthodes de calcul compliquées qui semblent montrer que vous donnez beaucoup mais qui, en réalité, cachent votre mesquinerie. Il ne faudrait pas que les employés aient à engager un ingénieur pour savoir s'ils toucheront ou non une prime. De plus, n'annoncez pas le programme à deux ou trois personnes en espérant que le message passera. Assurez-vous de bien le communiquer et assurez-vous également, par l'écoute active, que chacun l'a bien compris.

ET PIERRE CONSTANT DANS TOUT ÇA ?

On s'en voudrait de terminer ce chapitre sans vous révéler comment s'est réglé le sort de Lucien Moreau.

En ouvrant la porte du commerce de peinture et de papier peint, le matin du 24 septembre, Pierre Constant avait à l'esprit la résolution qu'il avait prise la veille et qu'il avait notée dans son agenda.

Il s'apprêtait même à s'attaquer à la tâche quand le téléphone sonna. C'était Mme Martineau qui appelait pour se plaindre. Elle prétendait que sur les cinq rouleaux de papier peint qu'elle avait achetés la semaine précédente, l'un de ceux-là n'était pas tout à fait de la même couleur et gâchait son beau mur de la salle à manger. Elle souhaitait un remboursement immédiat.

Pierre connaissait ce genre de problème. Il en réglait au moins un par deux semaines. Le rouleau « défectueux » était toujours celui qui recevait un éclairage différent parce qu'il faisait face à une fenêtre. Il suffisait normalement de couper cette source de lumière et le client se rendait compte de son erreur. Pierre enfila son imper et indiqua à Lucien Moreau qu'il s'absentait un moment. À son retour, Pierre avait oublié... et aujourd'hui encore, Lucien Moreau travaille pour lui. Nul n'est prophète en son pays !

CHAPITRE 5

DES « ÉTRANGERS » DANS LA MAISON

Les étrangers sont à la fois les personnes qui permettent à l'entreprise de prospérer, celles qui réclament leur part de la succession et celles qui souvent doivent subir les foudres des tensions familiales. Nous traiterons dans ce chapitre de ces personnes qui ne font ni partie de la famille biologique ni de la famille élargie.

Il peut s'agir de professionnels que vous payez pour vous aider (comptables, notaires, agents d'assurances), de personnes qui comptent sur vous pour gagner davantage ou d'organismes qui s'imposent et avec qui vous devez composer (ministère du Revenu, association sectorielle, etc.).

La difficulté majeure, quand vous essayez de régler un conflit avec eux, c'est qu'ils ne partagent pas vos objectifs et ne sont pas du tout préoccupés par le rêve que vous poursuivez. Sera-t-il alors possible de chercher une solution gagnant-gagnant ?

LA SOCIÉTÉ DE TRANSPORT DUBÉ ENR.

Les employés de Transport Dubé n'en revenaient pas. Depuis la récente implantation d'Intertop, un concurrent redoutable, les membres de la famille Dubé s'entendaient comme larrons en foire et traitaient à nouveau les employés comme des partenaires responsables.

Louis, l'aîné, et Jérôme, son père, avaient recommencé à se parler après une guerre froide d'une dizaine de mois. Le conflit avait commencé quand Louis avait proposé d'implanter un système informatisé qui aurait permis de retracer automatiquement chaque colis pris en charge. Il soutenait que ce système améliorerait la productivité tout en offrant une valeur ajoutée aux clients de l'entreprise. Le père avait refusé en servant la phrase classique : « C'est juste une mode. Quand tu auras mon expérience, on en reparlera. »

L'installation du système était maintenant commencée et les employés recevraient leur formation dans les prochains jours. Tous s'entendaient maintenant pour dire qu'il faut être à la fine pointe et que le moindre retard technologique entraîne des pertes de marchés.

La même chose s'était produite entre Louis et sa sœur Chantal. Depuis l'accession de Louis à la vice-présidence, les ponts étaient coupés et ils ne se parlaient que lorsque c'était vraiment obligatoire. Mais depuis l'arrivée d'Intertop, les efforts marketing occupaient beaucoup Chantal et la captivaient à nouveau. L'information avait recommencé à circuler entre frère et sœur.

Même les employés, qui étaient auparavant considérés comme un succédané au capital et à la machinerie, avaient acquis un nouveau statut. Un programme de boni-rendement avait été mis en place, de même qu'un programme de suggestions. Mais on ne négligeait pas l'aspect de la sécurité au travail pour autant et un programme de formation avait été institué.

Dire qu'ils avaient eu peur pour leurs emplois lors de l'implantation d'Intertop. Ils se sentaient maintenant beaucoup plus forts et certains allaient jusqu'à parier sur le nombre de mois qui seraient nécessaires à leur entreprise pour forcer la fermeture de ce nouveau compétiteur.

Curieusement, l'arrivée de ce concurrent, avant même qu'il n'ait débuté ses activités, avait fait fondre les conflits internes, orienté les efforts vers un but commun, et soudainement fait prendre conscience de l'importance de la technologie, de la recherche marketing et de l'implication des ressources humaines.

Mais ce n'est pas ce qui aurait sauté le plus aux yeux d'un observateur s'il avait visité l'entreprise un an auparavant et qu'il serait revenu aujourd'hui. L'actif, qui s'était raréfié au fil des années, était maintenant redevenu omniprésent dans l'organisation. Il aurait aussi remarqué que sur chaque visage, il y avait maintenant un sourire.

LE CONFLIT INTERORGANISATIONNEL

Nous avons jusqu'ici traité des conflits intrapersonnels et intraorganisationnels. Il était alors question des tensions existant à l'intérieur d'une organisation qui peuvent se régler sans sortir des limites de l'entreprise. Mais il peut également arriver que des conflits naissent entre une organisation et d'autres entités externes (organisations rivales, organismes gouvernementaux, professionnels incompétents, clients désagréables, etc.). C'est ce que nous appellerons les conflits interorganisationnels, en ce sens qu'ils sont le résultat d'une tension entre l'organisation et un autre système.

Si nous devions en élaborer une hiérarchie, les conflits interorganisationnels viendraient en premier lieu. Il n'est pas rare, en effet, de voir les membres d'une entreprise familiale oublier toutes les chicanes internes et faire front commun si une menace externe survient et met en péril leur avenir commun. De tels événements forcent l'entreprise à s'adapter à l'environnement, adaptation qui aurait souvent été impossible si elle avait été proposée par un membre de la famille avant que le conflit n'éclate. Nous venons de le constater dans notre mise en situation.

En ce sens, la présence de conflits interorganisationnels est très saine. Elle habitue les gens à penser au bien commun et à travailler en se serrant les coudes. L'expérience acquise lors de la résolution de ces conflits pourra même améliorer la capacité à régler les conflits intraorganisationnels quand la tempête sera passée.

LES 2 AXES D'ANALYSE

Plutôt que d'entretenir un vague sentiment d'animosité envers la source externe de tension, il vaut mieux tenter d'évaluer la nature du conflit avant de déterminer comment vous allez agir. Contrairement à ce que fit David, il ne vaut pas toujours la peine de foncer tête première vers Goliath. On sait bien que David a réussi, mais n'en tirons pas de loi universelle.

Prenons un exemple typique. Vous exploitez un magasin d'appareils électroniques et l'un de vos plus importants fournisseurs vient de permettre que ses produits soient également offerts chez l'un de vos compétiteurs. Vous ne comprenez pas le geste parce que vous vous êtes toujours efforcé de procurer un bon chiffre d'affaires à ce fabricant. Vous en voulez à ce compétiteur et, sur un coup de tête, vous diminuez votre marge bénéficiaire de moitié. Vous vous dites qu'en prenant conscience de la faible marge de profit possible, il abandonnera le produit.

En prenant cette décision, vous venez de diminuer votre marge de profit sur une part importante de vos ventes, tandis que pour votre concurrent, la perte

Figure 5.1

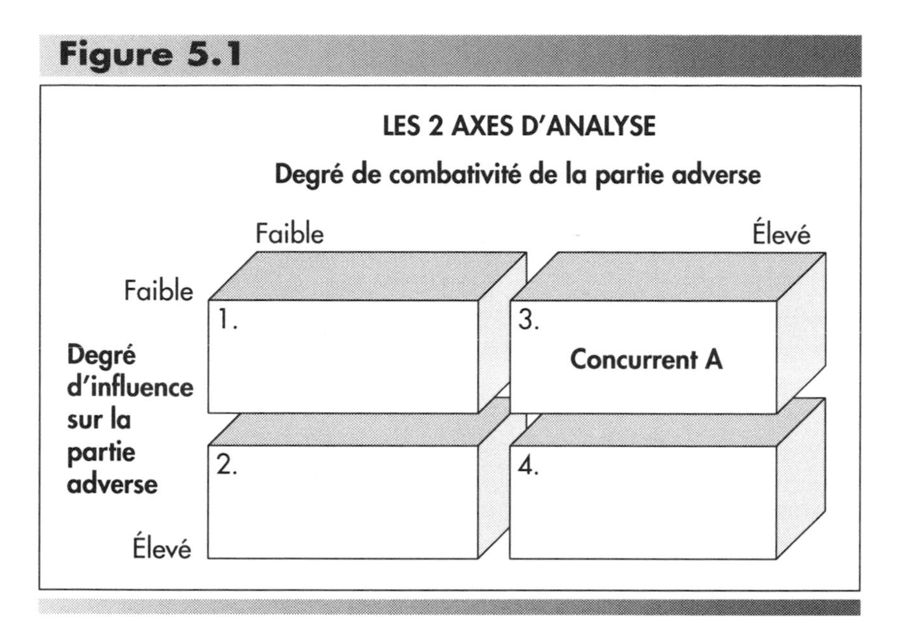

est marginale puisque ce produit ne constitue pas une part aussi importante de ses ventes. À moyen terme, si rien ne change, votre capacité concurrentielle diminuera au même rythme que vos profits. Analysons plutôt cette situation en tenant compte de deux axes d'analyse : le degré de combativité de l'opposant et le degré de pouvoir que vous avez sur lui.

Il est très important de tenir compte du degré de combativité de l'adversaire. Si vous le surestimez et que vous attaquez en conséquence, vous vous serez fait un ennemi pour toujours. Si vous le sous-estimez, vous réagirez mollement à ce qui pourrait être une attaque majeure.

Essayez de comprendre les raisons de son geste. Aurait-il des raisons de vous en vouloir ? Lesquelles ? Ou est-ce plutôt un concours de circonstances qui l'a fait agir de cette façon ? Il sera toujours plus facile de discuter avec un adversaire qui a un taux de combativité faible et qui ne vous a pas attaqué sciemment.

Dans le cas contraire, vous devrez peut-être oublier les politesses et, tel Frontenac, répondre par la bouche de vos canons.

Le deuxième axe d'analyse représente le degré d'influence que vous avez sur lui. Si l'adversaire est très dépendant de vous, vous n'aurez pas à mettre trop d'efforts pour lui faire comprendre qu'il est dans son meilleur intérêt de ne pas chercher à vous nuire. Si vous avez peu d'influence sur lui, vous devrez trouver des partenaires qui en ont ou songer à une retraite anticipée.

Vous devez donc, dans un premier temps, positionner votre opposant dans l'une ou l'autre des quatre cases du tableau précédent. Le travail suivant consistera à déterminer, avant de procéder à la résolution du conflit, s'il est possible de le faire changer de case.

LE TRAVAIL PRÉLIMINAIRE

Reprenons l'exemple du compétiteur de tout à l'heure. Nous l'appellerons le concurrent A. Votre contrôle sur lui est faible : il fait à sa guise et ne dépend pas de vous, que ce soit financièrement ou autrement. De plus, vous ne vous parlez plus depuis plusieurs années et vous savez que son plus grand rêve serait de vous voir faire faillite ; il se réveille la nuit pour vous haïr. Nous le situerons donc dans la case supérieure droite de notre graphique. C'est la pire position.

Le travail suivant consiste à étudier s'il est possible de le faire changer de case. Il suffirait pour cela de réduire sa combativité à votre égard ou d'augmenter votre degré d'influence sur lui. Voyons comment vous pourriez vous y prendre.

Vous pouvez réduire le niveau de combativité de votre concurrent. Il est souvent possible de rencontrer un adversaire et de clarifier la situation. De même, se trouver un ennemi commun (l'arrivée d'une grande chaîne

Figure 5.2

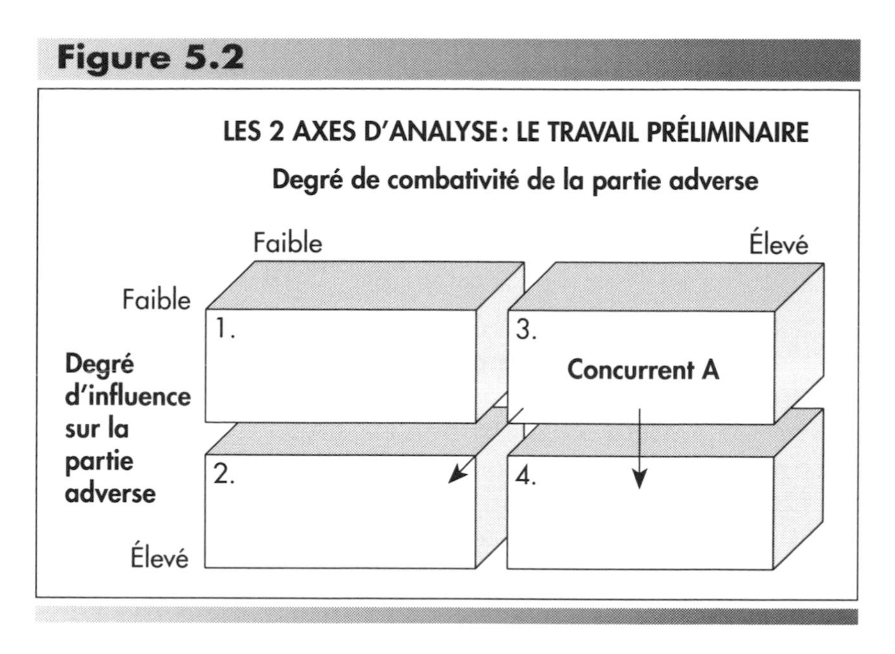

dans notre exemple) peut créer une solidarité qui diminuera cette combativité.

Récemment, à la suite de l'imposition par le gouvernement québécois d'une nouvelle loi sur les heures d'ouverture, de nombreux commerçants se sont entendus pour ne pas ouvrir le dimanche. Cette prise de contact, même si elle est circonstancielle, a toujours un effet positif sur cet axe.

Dans notre exemple, nous supposerons qu'il y a trop longtemps que les choses traînent et que rien ne peut être tenté sur cet axe. Il nous reste donc à augmenter notre degré d'influence sur la partie adverse.

Vous pouvez augmenter votre degré d'influence sur votre concurrent. Supposons que vous ayez procédé à un déversement de produits dangereux et qu'un fournisseur le sache. Votre degré d'influence sur lui est faible, car vous ne voudriez pas qu'il communique à la presse ce qu'il sait. Il en profite donc pour vous faire payer plus cher, et il a réduit votre budget coopératif de publicité.

Supposez que vous preniez les devants et que vous annonciez vous-même le déversement accidentel, en prenant soin d'en expliquer les causes et en annonçant les mesures que vous avez prises pour qu'il n'y en ait pas d'autres. Votre pouvoir sur l'autre vient d'augmenter considérablement.

Vous pouvez également, si votre degré d'influence est faible, vous allier à quelqu'un qui a de l'influence sur votre concurrent. Un bon réseau de contact permettra souvent une action indirecte sur vos opposants. Si nous reprenons l'exemple du magasin d'appareils électroniques, annoncez au fournisseur que vous abandonnez le produit et qu'il pourra désormais en vendre à qui il veut. Peut-être vous annoncera-t-il que votre concurrent aura désormais une liste de prix plus élevés et que vous n'avez rien à craindre.

Le but de ce travail préliminaire est d'amener l'opposant à la case 2 de notre tableau, c'est-à-dire influence élevée et combativité faible. Ce n'est pas toujours possible, et vous devrez souvent travailler avec un adversaire qui est resté bloqué à la case 1, à la case 4 ou, pire encore, à la case 3.

LES STRATÉGIES

Nous avons donc, dans un premier temps, positionné l'adversaire sur nos deux axes et nous avons tenté de le faire passer dans une case où il sera moins dangereux. Sa position est maintenant déterminée et elle ne bougera plus. Que faisons-nous maintenant ?

La stratégie que vous emploierez dépend largement de la nature du conflit, et il est difficile ici de traiter de toutes les situations possibles. Nous nous contenterons donc d'aborder des thèmes généraux selon la position de l'adversaire dans notre tableau.

• Case 1 : **Ignorer**. Dans cette situation, le degré de combativité de l'autre est faible et votre degré d'influence sur lui l'est également. Si vous l'attaquez, son degré de combativité augmentera. Ce n'est pas ce que vous souhaitez. Une petite visite amicale, où vous lui expliquerez en quoi son comportement actuel ou une décision récente qu'il a prise vous déplaît et pourrait vous nuire à long terme, ne peut qu'être bénéfique. Si votre opposant ne réagit pas, ignorez-le et concentrez-vous sur l'amélioration de votre organisation. Devenez plus performant et non pas plus combatif à son égard. Vous améliorerez ainsi votre influence sur lui et, tôt ou tard, il devra vous écouter.

• Case 2 : **S'allier**. Celui qui ne vous veut pas de mal, mais qui sait que vous avez un grand degré d'influence sur lui sera content de conclure une alliance et de régler à l'amiable un problème qui, s'il n'était pas réglé, pourrait augmenter le danger que vous représentez pour lui.

Vous pouvez par exemple aller voir le propriétaire d'un petit magasin qui tient un commerce sur une base artisanale et qui vend le même produit que vous. Dans cette situation, il sera facile pour vous d'imposer une marge bénéficiaire minimale, et chacun sera plus riche s'il n'y a pas de guerre de prix. N'hésitez pas à vous servir de vos forces et de votre influence parce que ceux qui ont conscience de vos faiblesses n'hésiteront pas, eux, à les utiliser à leur avantage.

• Case 3 : **Fuir ou combattre**. Si l'opposant vous en veut à mourir et que votre degré d'influence sur lui est faible, le niveau de risque associé à un affrontement est très élevé. Vous ne pouvez que vous retirer du marché ou prendre un risque en l'affrontant. À moins qu'il ne soit lui-même prêt à se retirer du combat. Une guerre commerciale fait rarement des gagnants. S'il s'agit d'un compétiteur, il sera souvent plus intéressant de l'acquérir ou d'être acheté par lui. Cela limitera les dégâts pour tout le monde.

• Case 4 : **Écraser**. Si l'opposant ne veut rien entendre et que son comportement est nuisible à la rentabilité de votre organisation, il ne reste qu'à l'écraser. Vous pouvez le poursuivre en justice, arrêter d'acheter son produit, couper les prix le temps nécessaire pour le voir fermer ses portes, ou aller chercher ses meilleurs vendeurs et miner ses activités.

Tableau 5.1

LES 4 STRATÉGIES POSSIBLES DANS L'ADVERSITÉ

1. Ignorer
2. S'allier
3. Fuir ou combattre
4. Écraser

LES 5 TRUCS DU MÉTIER

Voici maintenant cinq trucs qui s'appliquent particulièrement en situation de crise ou de conflit grave. Faites-les connaître aux autres membres de votre organisation, en insistant sur leur raison d'être et sur l'incidence qu'ils auront sur votre capacité à manœuvrer dans l'adversité.

• Premier truc : *Sachez ce qui se passe*. Vous ne pouvez pas vous laisser bercer par les flots du destin sans savoir ce qui se passe autour de vous et sans vous douter de ce qui vous attend. Une meilleure connaissance des événements vous permettra de faire des liens, de comprendre ce qui autrement vous aurait échappé et de frapper au bon moment.

Sortez de votre entreprise. Cultivez et entretenez un réseau de contacts et soyez à l'affût de la moindre nouvelle. Comme le dit l'adage, un homme informé en vaut deux. En affaires aujourd'hui, l'ignorance ne pardonne pas.

• Deuxième truc : *Désignez un bon représentant et un seul.* Si vous voulez à tout moment avoir une idée globale de la situation, il faut une personne-pivot qui s'occupe des contacts avec tous les intervenants. Cette personne, si elle est de l'interne, doit également être libérée d'une partie de ses activités.

Par exemple, si le règlement d'une succession se passe mal avec le fisc, il serait malhabile de demander à un enfant de s'occuper du fiscaliste, à un autre, des contacts avec le banquier, et à la veuve, des fonctionnaires du ministère du Revenu. Personne n'aura de vision globale des événements et soyez assuré que ces professionnels diront à tous ces représentants de votre organisation que c'est leur faute.

• Troisième truc : *Visez l'avenir et non le passé.* Souvenez-vous que ce qui était un gage de succès il y a 10 ans ne l'est plus nécessairement aujourd'hui. Ne restez pas enfermé dans vos vieilles routines et vos vieux rôles. Innovez et soyez réceptif aux idées novatrices de vos employés.

• Quatrième truc : *Agissez maintenant.* Le temps est un élément dont vous devez tenir compte. Si vous attendez trop longtemps pour agir, vous laissez la porte ouverte à d'autres agressions. Si le comportement d'un fournisseur vous déplaît, dites-le-lui maintenant. Si vous accumulez la rancœur et que vous explosez de colère dans un an, le résultat de votre colère sera dévastateur et vos relations d'affaires en souffriront. Affrontez le problème avant qu'il ne soit trop gros.

• Cinquième truc : *Envisagez toutes les options.* Il ne faut jamais rester passif et prisonnier de la première idée venue. Élargissez le débat. Questionnez vos objectifs fondamentaux et favorisez le brassage d'idées. Une idée lumineuse et brillante arrive rarement en premier.

Tableau 5.2

LES 5 TRUCS À METTRE EN PRATIQUE EN CAS DE CHICANE AIGUË

1. Sachez ce qui se passe
2. Désignez un bon représentant et un seul
3. Visez l'avenir et non le passé
4. Agissez maintenant
5. Envisagez toutes les options

À VOUS DE JOUER

Première mise en situation : Vous en avez marre. Pour la troisième année de suite, votre comptable vous a remis vos états financiers à la dernière minute. Vous n'avez pas le temps de les vérifier et sa secrétaire vous dit que s'ils ne sont pas postés dans les heures qui viennent, le ministère du Revenu pourra exiger un montant additionnel de 5 %. Vous vous promettez que c'est la dernière fois que vous vivez une telle situation. Que faites-vous ? Positionnez votre comptable sur les deux axes de notre tableau et élaborez une stratégie.

Seconde mise en situation : Votre camion de livraison a, en reculant dans une entrée de cour, ébréché la remise d'un de vos clients. Le simple changement d'un coin en vinyle ferait l'affaire, mais le client insiste pour obtenir de vous une remise neuve. Au dire de votre livreur, c'est un vrai malcommode. Vous n'avez pas du tout envie de lui payer un cabanon neuf et votre franchise d'assurance étant de 1 000 $, vous ne pouvez pas transmettre le dossier à votre courtier. Que faites-vous ? Quels sont les enjeux ? Quelle sera votre stratégie ?

CHAPITRE 6

À L'AIDE !

Pour plusieurs hommes ou femmes d'affaires, avoir recours à un consultant reste un signe de faiblesse et ils accueillent cette suggestion comme d'autres acceptent le conseil de voir un psychothérapeute ou de suivre une cure de désintoxication. Voir un concurrent s'adresser à un tel professionnel les comble d'aise parce qu'ils en déduisent que ce dernier doit être en situation de détresse.

Pourtant, à mesure qu'une entreprise grandit et se complexifie, les défis auxquels elle doit faire face exigent des connaissances de plus en plus spécialisées et l'apport de professionnels devient vite un facteur de succès.

Pourquoi s'entêter, par exemple, à devenir un spécialiste en planification successorale quand nombre de spécialistes se feront une joie de vous conseiller. Ne vaudrait-il pas mieux diriger vos énergies vers la croissance de vos objectifs corporatifs ?

Mais attention ! Le consultant n'est pas une panacée, et un vrai professionnel ne fera pas nécessairement ce que vous attendez de lui. Il faut savoir comment l'embaucher, ce qu'il faut attendre de lui et comment travailler avec lui.

LES MEUBLES FRIGON INC.

En entrant dans la salle de conférences, M. Gérard Frigon souriait. Cela surprit quelque peu les autres personnes présentes parce qu'il n'avait pas vraiment souri depuis près d'un mois. Il jeta un long regard circulaire pour s'assurer que tous étaient arrivés et il se racla la gorge.

Ils étaient bien là : son épouse, sa fille et son époux, ses deux fils et leurs épouses, le gérant d'entrepôt, la commis-comptable et les deux contremaîtres de production. Il y avait également, occupé dans un coin de la pièce, un homme endimanché qui achevait d'installer un rétroprojecteur et un écran. C'était le consultant. Il était censé tout régler.

Tout le monde se regardait sans parler. Le rapport qui serait présenté ce matin devait contenir une série de propositions qui amélioreraient la productivité et permettraient de tenir tête aux importations américaines. Tous examinaient ce gourou, secrètement jaloux de son bagage d'expériences, en se demandant pourquoi, s'il avait réponse à tout, il n'était pas en affaires comme eux.

À plusieurs reprises déjà, France, la fille aînée, avait présenté des rapports destinés à améliorer le fonctionnement de l'organisation. Tous avaient été rejetés parce qu'ils proposaient des choses dont M. Frigon n'avait jamais voulu entendre parler : stocks minimums, informatisation des commandes, établissement de liens électroniques d'échange de données avec les principaux fournisseurs, programmes d'intéressement des employés basés sur l'amélioration de la qualité plutôt que sur l'augmentation de la production.

Le consultant se redressa. Il était prêt. Il salua tout le monde en les nommant par leurs noms, puis, sans les quitter des yeux, appuya sur l'interrupteur du rétroprojecteur. « Nous parlerons aujourd'hui de l'avenir de Meubles Frigon », dit-il en présentant un transparent où l'on pouvait voir le logo de l'entreprise. « Nous traiterons des problèmes auxquels l'entreprise fait face et nous présenterons quelques suggestions qui devraient améliorer fortement votre position sur le marché. »

Il avait maintenant pris son envolée et ne semblait même pas avoir à reprendre son souffle. « Il ne fait aucun doute que nous devons nous attaquer aux éléments qui font la force de nos compétiteurs. J'entends par là une réponse plus rapide aux commandes, un taux de retour inférieur et un coût de capital moins élevé. Je serais donc d'avis d'approuver le projet qui a été présenté, il y a deux mois, par France. Quelques modifications mineures seraient néanmoins nécessaires. Mais dans les grandes lignes... »

« Un instant ! » Gérard Frigon avait repris sa voix autocratique et son sourire avait soudainement disparu. Son visage était livide et sa lèvre inférieure tremblait légèrement. « Qu'est-ce que c'est ça ? Si j'avais voulu de son rapport, croyez-vous que je vous aurais engagé ? Vous ne semblez pas avoir compris que c'est moi qui vous paye ! »

Visiblement décontenancé, mais ne perdant rien de son professionnalisme, le consultant répondit : « C'est la compagnie qui me paie, Monsieur. Et j'ai été mandaté pour vous donner un avis sur la meilleure façon d'assurer sa survie et sa rentabilité. C'est ce que je fais. »

Le visage de Gérard n'était plus livide ; mais bien cramoisi. Les employés qui ne faisaient pas partie de la famille regardaient intensément la table ou le tapis, comme si ces objets inanimés étaient soudainement devenus plus intéressants que ce qui pouvait se dire ou se faire dans la pièce. Les membres de la famille commençaient un à un à ramasser leurs effets personnels, sauf France qui regardait, impassible, le combat visuel auquel se livraient ces deux gladiateurs.

Gérard se leva pour regarder l'autre d'égal à égal. « La rencontre est terminée, dit-il, je vous retire le mandat. Vous pouvez partir immédiatement. »

Le consultant recula de quelques pas et commença à ramasser ses acétates. « Très bien. J'ai trouvé fort agréable de travailler pour votre compagnie et soyez assuré que notre firme sera toujours disposée à vous servir, si bien entendu votre entreprise a su s'adapter et est encore de ce monde. »

Quand la facture arriva, quelques jours plus tard, elle fut payée en secret. Plus personne ne parla de modernisation. Deux mois plus tard, France quittait l'entreprise.

POURQUOI UN CONSULTANT ?

Vous connaissez votre entreprise mieux que quiconque, et personne ne vous dira comment diriger votre barque. Celui qui tenterait de le faire en situation de conflit s'attirerait de sérieuses rebuffades. C'est davantage en posant des questions qu'en donnant des réponses que le consultant gagne son pain. Dans le cadre d'un conflit majeur, il agira de trois façons.

Dans un premier temps, il prendra le rôle de **médiateur**. Les personnes embourbées dans un conflit majeur vont souvent être sourdes aux arguments des gens de l'organisation ou de la famille. Rendues à ce stade, ces personnes ont depuis longtemps identifié les autres, à tort ou à raison, comme partisans ou ennemis de la juste cause, et ce qu'ils feront ou diront affectera peu ou pas une position de retranchement.

Le consultant, si son embauche se fait selon les normes que nous présenterons un peu plus loin, ne sera identifié à aucun camp et pourra servir de médiateur crédible. En tentant de rapprocher les parties, il fera constamment référence aux besoins communs des deux parties et à la nécessité de régler une fois pour toutes le litige.

Le consultant jouera aussi le rôle de **facilitateur**. Celui qui est spécialisé en entreprise familiale en a vu d'autres. Votre situation n'est pas unique et vous n'êtes pas le premier cas du genre. Au-delà de la médiation, il s'assurera que quelques étapes supplémentaires soient mises en œuvre pour ne pas simplement apaiser les tensions, mais également pour faire avancer la famille et l'entreprise.

Une fois le conflit réglé (à la satisfaction de tous ou au terme d'une négociation serrée), ce consultant cherchera à aller plus loin et à créer une dynamique propre à l'avancement de la famille et de l'entreprise. Ce peut être en élargissant le débat ; le conflit réglé en cache peut-être un plus important. Ce peut être en attirant l'attention sur une conséquence qui jusqu'ici échappait à tout le monde.

Finalement, parce qu'un consultant ne fait justement pas partie de votre organisation, il pourra apporter un regard neuf sur la situation que vous vivez et, par un **effet de révélation**, il vous fera prendre conscience d'évidences que vous ne voyez pas pour l'instant. À force d'avoir le nez collé sur les arbres, vous avez peut-être perdu de vue la forêt. Ce genre d'intervention commence souvent par les mots : « Voici comment je vois la situation. Dites-le-moi si je me trompe. »

CE QU'IL NE FERA PAS

Dans un premier temps, *le consultant ne prendra pas position pour l'un ou l'autre des acteurs en cause.* Ce n'est pas un mercenaire. Il n'est pas là pour faire plaisir à celui qui l'a mandaté ; il souhaite contribuer à améliorer le sort de l'entreprise, des actionnaires et des employés.

Si un consultant accepte un mandat où il se contente de répéter mécaniquement ce qu'on lui a dicté, ce n'est pas un professionnel, et ne vous imaginez pas que les autres membres de l'organisation seront dupes. Ce sera de l'argent jeté par la fenêtre, et cette intervention aura contribué à jeter de l'huile sur le feu et à attiser le conflit qu'elle était censé apaiser.

Dans un second temps, *le consultant ne s'imposera pas en expert.* Un expert en informatique mandaté pour trouver une solution à un problème spécifique arrivera avec une solution pratique et applicable dans les plus brefs délais. Celui qui s'occupe de conflits familiaux et de transfert de génération ne peut que poser des questions et suggérer des réponses qui, par l'effet de révélation, contribueront à réorienter les acteurs vers des objectifs communs. Le consultant qui, dans ces circonstances, tente d'imposer une solution verra se dresser contre lui une solidarité éphémère qui lui indiquera où se trouve la porte et comment la prendre !

Dans un troisième temps, *le consultant ne s'accrochera pas.* Il ne souhaite pas devenir une béquille et que vous le contactiez chaque fois que le ton monte dans la famille. Il ne propose pas simplement des avenues de solution ; vous devez apprendre à son contact et être en mesure, après son départ, de faire face à des situations analogues à celles qui ont amené son embauche.

COMMENT TROUVER VOTRE CONSULTANT ?

Si vous voulez que l'action du consultant ait des suites, ce n'est pas vous, mais le conseil de famille ou de direction qui devrait procéder à son embauche. De cette façon, il n'aura pas l'air de travailler pour une seule personne.

Que plusieurs membres de la famille forment un comité qui aura pour tâche de définir le rôle du consultant et d'identifier plusieurs candidats possibles. Ce travail, à lui seul, suffira souvent à régler le problème et il ne vous en aura rien coûté.

Si ce n'est pas le cas, que deux ou trois candidats se présentent lors d'une rencontre familiale. Tous apprendront. Assurez-vous que le groupe choisisse un candidat qui est acceptable pour chacun. Vérifiez les références qu'il vous donnera et vérifiez s'il parle avec discrétion des problèmes qu'il a réglés ailleurs. Vous ne souhaitez pas voir vos problèmes exposés sur la place publique. Finalement, assurez-vous qu'il est spécialisé en entreprise familiale et que le contexte de ce genre d'entreprise l'enthousiasme. Vous ne voulez pas d'un apprenti-magicien.

CE QU'IL FERA

Dans un premier temps, le consultant vous rencontrera et vous demandera de parler de vos préoccupations. Il vous aidera à définir le problème et à confirmer ce qui est attendu de lui. Vous serez appelé à lui expliquer les rouages de votre entreprise et à lui présenter les états financiers. Cette étape est très importante parce qu'apporter une solution efficace à un faux problème ne réglera rien. Vous pourrez de plus, à cette occasion, formuler des questions que vous ne vous étiez jamais posées à voix haute.

C'est également à ce moment que le consultant déterminera s'il possède l'expertise nécessaire pour vous aider à régler votre problème. Si ce n'est pas le cas, il vous le dira franchement et l'entretien ne vous aura pas coûté un sou. Il vous suggérera alors un collègue qui pourra prendre vos préoccupations en main.

S'il croit être en mesure d'apporter une aide valable, le consultant vous présentera alors une offre de service. Ce document cernera ce qu'il entend faire et définira son mandat à partir de la rencontre qu'il a eue avec vous précédemment. C'est également lors de cette étape qu'il expliquera comment seront facturés ses honoraires et comment il souhaite être payé. S'il y a désaccord à ce moment, on retravaille l'offre de service ou l'on met carrément un terme aux discussions. Dans ce dernier cas, vous n'avez encore rien à payer.

Le travail sur le terrain commence ensuite. Le consultant fouillera dans vos papiers, rencontrera les membres de la famille et les employés et questionnera même, au besoin, vos comptables et vos conseillers juridiques. Si vos réponses ne le satisfont pas, il se croira justifié de vous harceler jusqu'à ce que la vérité sorte. Vous l'avez engagé pour faire un travail et il entend bien le mener à terme.

Quand il croira avoir trouvé, il vous dira qu'il est prêt à rencontrer la famille pour présenter ses conclusions. Certains présentent un rapport écrit, d'autres ne le font pas. Ce qui est important, c'est qu'il existe un contrat implicite entre lui et vous. Vous devez être prêt à mettre en pratique ses recommandations. C'est comme d'aller chez le médecin, mais de ne pas prendre les médicaments qu'il prescrit ; on ne peut pas par la suite le traiter d'incapable.

Après sa présentation, le consultant répondra aux questions et vous quittera alors que vous serez, vous et votre famille, en pleine réflexion. Si vous aviez besoin d'éclaircissements dans les jours suivants, il sera disponible et ne facturera généralement pas ces heures supplémentaires. Il veut tout autant que vous que son mandat ait été un succès.

Vous le perdrez alors de vue. Un bon consultant ne s'incruste jamais. Il ne souhaite pas devenir une béquille. Il veut que vous appreniez à son contact et que vous soyez désormais capable de solutionner vous-même ce type de problèmes. Si le consultant que vous embauchez vous fait penser à Merlin l'Enchanteur, tant son langage est hermétique et son savoir caché, il est temps de le remercier et de trouver quelqu'un qui vous permettra d'apprendre à son contact. Quelqu'un qui sera davantage un professeur qu'un magicien.

CE N'EST PAS LA SEULE SOLUTION

Embaucher un consultant en entreprise familiale n'est pas le seul moyen disponible pour venir à bout des conflits majeurs et remettre la famille sur les rails de la saine gestion et de la bonne entente. Les professionnels avec qui vous faites déjà affaire peuvent vous aider. S'ils travaillent avec un grand nombre d'entreprises qui correspondent à la vôtre sur un ou plusieurs paramètres, ils ont déjà été témoins de situations semblables et sauront vous conseiller.

Mais vous devez faire attention. Certains professionnels ont tendance à répéter ce que celui qui signe les chèques veut leur entendre dire. Ils n'osent pas courir le risque de ne pas voir leur contrat reconfirmé. Si vous sentez qu'ils agissent ainsi, ne les mêlez pas au problème (vous devriez même penser à voir si des conseillers plus compétents n'ont pas pignon sur rue à quelques pas de chez vous).

Parmi les autres ressources disponibles, mentionnons les chambres de commerce qui, quelquefois, présentent des séminaires sur la question. Il y a également les associations sectorielles qui le font de plus en plus. La Banque fédérale de développement présentait récemment un nouveau programme destiné aux entreprises familiales.

Les groupes d'entraide

Il s'agit de groupes de propriétaires d'entreprises familiales qui sont déjà passés par où vous passez actuellement ou qui sont présentement dans la même situation. Rencontrer ces gens vous fera prendre conscience que vous n'êtes pas seul au monde et vous découvrirez que d'autres sont passés avec succès à travers ces mêmes problèmes qui, pour l'instant, vous paraissent insolubles.

Au Québec, l'Association canadienne des entreprises familiales (CAFE) organise de tels groupes. Ils sont constitués de 10 à 12 membres qui partagent un profil semblable au niveau de l'âge et qui gèrent des entreprises de dimensions comparables. Ils nomment eux-mêmes le président et se rencontrent toutes les six semaines.

Au Québec, vous pouvez joindre l'Association par téléphone au (514) 874-3701 ou par télécopieur au (514) 866-5580. Vous pouvez également écrire à l'Association canadienne des entreprises familiales (CAFE Montréal) : 1407, boul. Saint-Laurent, bureau 100, Montréal (Québec) H2Y 2Y5.

Si vous habitez en région, contactez votre chambre de commerce. Ses responsables sauront vous indiquer si de tels groupes sont organisés dans votre coin de pays. Vous pouvez également consulter la section six du livre-outil *Un plan d'affaires gagnant*, publié aux éditions TRANSCONTINENTALES inc. Cette section s'intitule « Les bonnes adresses » et vous y retrouverez des ressources utiles.

Le conseil d'administrateurs externes

C'est un sujet tellement vaste qu'il pourrait occuper un livre à lui seul. En fait, plusieurs ouvrages ont déjà été écrits sur le sujet. Celui de Léon Danco, que vous trouverez dans la bibliographie, en est un excellent. Ses propos sont présentés en fonction de l'entreprise américaine, mais le cœur de son exposé se rapporte autant à l'entreprise familiale québécoise.

Nos conseils d'administration sont souvent factices. Nous y nommons les gens de notre famille et ils n'ont qu'à signer, une fois par année, les résolutions qu'aura préparées le comptable. On ne s'attend même pas à ce que ces administrateurs lisent ce qu'on leur demande de signer. L'entrepreneur ne pense pas vraiment avoir besoin d'eux.

Cependant, si le conseil est composé d'administrateurs externes, l'entrepreneur aura de la difficulté à leur faire signer n'importe quoi. Ces administrateurs auront comme préoccupation principale la continuité de l'entreprise. Ils refuseront de vous voir temporiser et vous obligeront à régler les conflits au fur et à mesure qu'ils se présentent. En fait, pour une entreprise familiale, la mise sur pied d'un conseil d'administrateurs externes est un important facteur de succès.

Si les membres de la famille comprennent bien son rôle et respectent ses membres, le conseil pourra souvent faire passer des décisions que les fondateurs auraient été incapables de défendre. Ils joueront également le rôle de tampon entre les générations et libéreront maman de son rôle d'arbitre. Tous y gagneront.

L'utilisation maximale de vos professionnels

Ce sont les gens que vous payez déjà, mais que vous n'utilisez pas au maximum. Il peut s'agir de votre comptable, de votre fiscaliste, de votre directeur de banque ou de votre notaire. Des gens souvent compétents, mais qui ne peuvent pas pour l'instant vous servir autant qu'ils le pourraient dans d'autres circonstances. Voyons de quoi il en retourne.

Connaissez-vous le syndrome de l'araignée ? Pensez à une araignée au centre de sa toile. C'est l'entrepreneur type. Tout autour de lui, dispersés selon les caprices du vent, se trouvent ses conseillers. Plus l'entreprise est prospère, plus il y a de conseillers.

Il y a le comptable, un conseiller que l'entrepreneur rencontre une ou deux fois par année, généralement lors de la remise des états financiers. Le comptable présente alors les résultats financiers officiels et l'entrepreneur hoche la tête en montrant qu'il a tout compris. Le comptable lui indique alors l'endroit où les résolutions doivent être signées et l'entrepreneur repart chez lui, au centre de sa toile, les états financiers et son registre des procès-verbaux sous le bras.

Il y a le notaire, un spécialiste que l'entrepreneur rencontre s'il vend un terrain, achète un immeuble, rédige son testament ou hypothèque un bien pour le mettre en garantie. Ces transactions terminées et l'entretien achevé, l'entrepreneur retourne chez lui, au centre de sa toile.

Il y a aussi l'avocat, celui que l'entrepreneur voit chaque fois qu'un client le traîne aux petites créances ou chaque fois que son camion de livraison défonce la haie de cèdre d'un client malchanceux. Sait-il seulement que cet avocat pourrait l'aider s'il formulait à voix haute ses préoccupations ?

Il en va de même pour tous les autres spécialistes : ingénieur, directeur de compte bancaire, fiscaliste, assureur, évaluateur agréé, consultant et les autres. Ce sont tous des gens qui rencontrent l'entrepreneur au cours de l'année, qui l'aident à régler certains problèmes, mais qui ne se font souvent présenter qu'un seul côté de la médaille.

Le comptable sait des choses sur l'entreprise, mais ce ne sont pas les mêmes que celles que l'entrepreneur a révélées au notaire. Le savoir de ces deux professionnels est incomplet et ils ne peuvent donner tout leur potentiel. Mais ensemble, ils peuvent faire plus que n'importe quel consultant, aussi expérimenté soit-il.

Pourquoi ne pas les réunir, une fois par année, et leur parler de vos problèmes, de vos préoccupations ou même de vos projets ? Ne serait-il pas merveilleux de les voir se compléter et élaborer sous vos yeux une solution réaliste à votre problème soi-disant insoluble ? C'est possible de provoquer cette synergie et plusieurs entrepreneurs le font déjà. Ils troquent la toile d'araignée pour la salle de conférence. Ils troquent les prisonniers pour des cliniciens intéressés et complémentaires.

Ce n'est pas le moyen à utiliser pour régler les problèmes quotidiens. Mais si un problème majeur survient, pourquoi ne pas les réunir ? Vous serez surpris de ce que vous en tirerez. Et en nombre, ils n'hésiteront pas à vous poser des questions qu'ils ne vous auraient jamais posées auparavant. Ils voudront connaître vos objectifs personnels, vos rêves à court, à moyen et à long terme. Ils voudront même connaître les réponses aux questions que vous refusez présentement de vous poser. Ils prendront votre avenir à cœur.

Mais attention ! Gardez à l'esprit qu'ils demeurent des gens payés qui souhaitent continuer à travailler pour vous. Si vous sentez que certains d'entre eux attendent de connaître votre opinion avant d'annoncer la leur, le temps est peut-être venu de leur dire au revoir et de vous tourner vers quelqu'un qui se préoccupe davantage de l'avenir de son client et moins de la reconduction de son mandat de vérification.

À VOUS DE JOUER

Évaluez la qualité des services que vous retirez des professionnels avec qui vous faites affaire. Le questionnaire qui suit se veut une base de réflexion qui pourrait vous amener à exiger davantage d'eux ou, si c'est peine perdue, vous pousser à changer de conseiller. Il s'applique autant à un consultant qu'à votre comptable, votre fiscaliste, votre notaire ou à toute autre personne sur qui vous comptez dans le cadre de vos activités.

Photocopiez le questionnaire, puis faites-le remplir par tous les membres de votre famille qui ont à négocier avec ces personnes. Vous aurez besoin d'une copie par professionnel. Comparez ensuite vos réponses et agissez en conséquence.

Encore une fois, comparez vos réponses. Vous découvrirez peut-être que tel professionnel vous nuit plus qu'il ne vous aide et que vous avez tout intérêt à partir en quête d'une personne compétente dès aujourd'hui.

Vous voilà presque à la fin de votre lecture. Félicitations d'avoir tenu le coup. C'est maintenant à vous de jouer. Vous êtes devenu un agent de changement dans votre organisation. Votre perception des divers conflits a changé. Vous pouvez maintenant mettre les crises en perspective et les ramener à leurs justes proportions. Vous comprenez ce qui se passe et vous vous concentrez davantage sur les faits et les enjeux. Vous savez trouver des objectifs communs et discuter avec l'autre partie.

Sans le savoir, vous venez d'acquérir une puissance à utiliser à bon escient. Vous avez maintenant le pouvoir d'empêcher que votre entreprise familiale ne s'effrite à la suite de chicanes, qu'il s'agisse de conflits latents ou de guerres ouvertes. À ce titre, vous êtes l'une des personnes qui assurera le relèvement de notre économie et le développement futur de notre capacité de compétitionner. Mettez-vous au travail tout de suite.

Tableau 6.1

MISE EN SITUATION		
Nom :	**Vrai**	**Faux**
Je le vois plus d'une fois par année.		
Si un changement de réglementation susceptible de toucher notre entreprise survient, il me contacte pour m'en faire part.		
Je n'ai pas à provoquer le conseil. Il est à l'affût de ce qui pourrait m'être utile.		
Il discute avec les autres membres de la famille.		
Il visite l'entreprise de temps en temps.		
Il fait affaire avec d'autres entreprises comme la nôtre et partage avec nous des idées qui ont eu du succès ailleurs.		
Il présente ses rapports rapidement.		
Son travail est davantage axé sur notre succès que sur les réglementations.		
Si une question dépasse son expertise, il n'hésite pas à nous présenter un autre professionnel.		
Il tente de nous faire comprendre ce qu'il fait, quitte à ne pas passer pour un sorcier.		
Si un problème survient pour une seconde fois, je n'ai pas à le rappeler parce qu'il m'a appris à faire face à ce genre de situations.		

UNE CONCLUSION EN 5 VOLETS

Unique, c'est le qualificatif qu'emploie le plus facilement l'entrepreneur qui décrit son entreprise. Il croit fermement que les problèmes qu'il vit lui sont propres et qu'il doit leur faire face stoïquement. Il porte sur ses seules épaules les conséquences de ses décisions et protège ses proches des soucis quotidiens et des tourments auxquels il sait faire face. Ce faisant, il alimente le mythe du superhéros et empêche, en les tenant dans l'ignorance, le développement du plein potentiel des autres membres de la famille ou des employés. Vous savez maintenant qu'il a tort et que cette façon de faire met en péril l'avenir de l'organisation.

La meilleure façon de s'assurer de la continuité de l'entreprise reste de mettre les successeurs potentiels en contact avec la réalité et de les laisser faire leurs preuves pendant qu'une erreur ne coûte pas trop cher. Ils apprendront tout de suite et ne grandiront pas dans un cocon qui leur laisse croire que l'entreprise se gère seule et qu'ils n'auront éventuellement qu'à encaisser leur chèque de paie et à se voter des dividendes.

Nous aimerions faire un retour en cinq points. Tout ce qui a été écrit, vous le saviez déjà. Il n'y a rien de nouveau. Nous espérons simplement que ce qui vous a été proposé a su donner un éclairage nouveau à la gestion quotidienne de l'entreprise familiale et que vous fermerez cet ouvrage avec un regard porté sur des projets d'avenir.

Volet 1 : **Vos problèmes ne sont pas uniques**. Malgré tout ce que vous avez pu croire, personne n'est allé chez vous avant d'entreprendre la rédaction de ce texte. Nous n'avons pas fouillé vos livres comptables ni fait d'intervention auprès de votre conjoint, de vos enfants et de vos employés. Ces problèmes, ils se répètent dans nombre d'organisations depuis la nuit des temps.

Cette constatation est importante parce qu'elle vous empêchera de gaspiller votre énergie à vouloir réinventer la roue. Si d'autres entreprises ont fait face aux mêmes problèmes et si elles ont su les régler adéquatement, pourquoi ne pas bénéficier de leur expertise ? Pourquoi vous aventurer dans la mise sur pied de recettes incertaines ou vous enfermer dans un mutisme qui, tôt ou tard, remettra en cause votre omniscience et votre omnipotence.

Mais ne vous méprenez pas sur nos propos. Ne courez pas au téléphone pour embaucher un consultant en gestion ou un thérapeute familial. Parlez franchement de ce qui vous préoccupe avec ceux qui vous entourent et que vous aimez. Dites-leur comment vous voyez les choses et écoutez ce qu'ils ont à dire.

Lors de votre prochaine partie de golf, choisissez un partenaire qui a déjà été dans votre situation et qui en est venu à bout. Il saura mieux que quiconque vous conseiller parce qu'il est passé par là et qu'il a ressenti ce que vous ressentez. De plus, il sera flatté et heureux de cette marque de respect que vous lui témoignerez. Contrairement à ce que beaucoup de personnes croient, les gens aiment rendre service et être utiles. Mais ils ne vous aideront pas contre votre gré et vous devrez faire les premiers pas.

Volet 2 : **La présence de conflits dans votre organisation n'est pas une maladie honteuse ; c'est un signe de santé**. Le titre de cet ouvrage n'est pas

Comment se débarrasser à tout jamais des conflits dans l'entreprise familiale. Il traite de la gestion des conflits dans l'entreprise parce que les conflits sont inévitables dans une organisation qui veut continuer à s'adapter à son environnement et ne pas sombrer dans la désuétude.

Il faut donc cesser de se mettre la tête dans le sable en ignorant leur existence ou, encore pire, les réprimer jusqu'à ce que vos employés cessent d'utiliser leur matière grise et se mettent à travailler mécaniquement pour un patron qui n'en demande pas plus.

Soyez donc attentif au changement. Cela ne veut pas dire qu'il faille sauter sur toutes les fantaisies que la mode peut offrir. Il faut cependant être à l'affût des tendances de fond (juste-à-temps, qualité totale, etc.) et s'assurer de ne pas manquer le bateau.

Volet 3 : **Il faut prendre garde à l'esprit de clocher et à l'égocentrisme**. Nous avons dit et répété que celui qui réussissait en affaires y parvenait à force de travail et de renoncement. Pendant des années, il travaille dans son sous-sol, puis dans un modeste garage, puis dans un incubateur industriel, puis, finalement, dans sa propre usine.

Pendant toutes les années où il bâtit son rêve, l'entrepreneur n'a pas le temps de se préoccuper de ce qui se passe autour de lui. Il dort, il mange et il travaille. Ses contacts se limitent à ceux qu'il entretient avec sa famille, ses clients, ses fournisseurs, ses employés et son directeur de banque. Lui, qui au début était ouvert sur le monde et avait su y percevoir une occasion qu'il a développée au maximum, se retrouve maintenant coupé du reste de l'univers. Il se réfère encore à la situation qui prévalait lors des débuts de l'entreprise. Il est en fait nostalgique. À cette époque, où tout lui semblait si simple...

Mais il faut se rendre à l'évidence. Il a réussi. Il est maintenant à l'aise et on le vénère dans la communauté. Comment alors échapper à cette croyance qui s'est installée en lui et qui lui dit que c'est lui qui a raison, que ce qu'il a toujours fait lui a rapporté et qu'il n'y a aucun motif valable pour changer une formule gagnante? Comment lui faire prendre conscience que le monde se transforme et qu'il doit continuellement s'y adapter s'il veut continuer à prospérer?

Les enfants, qui ont grandi dans ce monde en mutation et qui perçoivent différemment l'univers de l'entreprise, ont de la difficulté à comprendre cet attachement irrationnel à des valeurs passéistes. Les conflits qui en résultent sont souvent fatals pour l'entreprise, pour la famille ou pour les deux.

Il faut absolument prendre garde à ce sentiment de satisfaction qui fait que l'on s'assoit sur ses lauriers et que l'on s'enfonce dans la sécurité factice d'un immobilisme dangereux. Ce qui a réussi hier ne réussira pas nécessairement demain. Le compétiteur qui était tout petit et qui vous faisait rire hier vous arrachera peut-être votre plus gros client demain. Ne tenez rien pour acquis.

Volet 4 : **Faites aujourd'hui ce qui est important, le reste peut être délégué**. Nous l'avons vu au chapitre deux, les personnes qui souhaitent fuir les conflits potentiels se réfugient souvent dans des activités qui ne sont ni urgentes, ni importantes. Elles s'enlisent dans ces tâches pour éviter de faire face aux difficultés et, ce faisant, elles empêchent l'entreprise de bénéficier des retombées positives d'un conflit bien résolu.

Faites aujourd'hui ce qui est important et vous rapproche des objectifs personnels et corporatifs que cette lecture vous a aidé à établir. Ne laissez pas des événements banals vous servir de refuge quand vous n'avez pas envie de faire face à une situation qui, de toute façon, ne se réglera pas d'elle-même et ira en s'envenimant.

Quant aux tâches moins importantes, rien ne vous empêche de les déléguer. Vous n'avez pas à entretenir un tel culte du secret. Si vous ne révélez rien à personne, qui pourra vous seconder? Autorisez vos collègues de travail. Faites-leur partager vos objectifs, communiquez-leur votre vision.

Volet 5 : **Il n'y a rien comme une vision commune et des valeurs partagées**. Si les membres de votre organisation ne savent pas où ils s'en vont ou s'ils ne s'en vont pas dans la même direction que vous, les conflits dégénéreront rapidement. Vous perdrez dans la bataille une énergie qui aurait pu vous faire atteindre les sommets dans votre industrie.

Rappelez-vous l'histoire de Biguebosse et dites-vous que celui qui garde sa vision pour lui-même n'est pas un visionnaire. Le vrai visionnaire, celui que tout le monde souhaite suivre, c'est l'entrepreneur qui communique sa passion, à un tel point que ses employés ont l'impression que ce sont eux qui ont eu l'idée. Pour ce leader, ils se dépasseront. Pour Biguebosse, ils se contenteront de « faire » leurs heures de travail et de rentrer chez eux.

Pour ce faire, il faut user des principes énoncés au chapitre quatre (dialogue et non monologue, libres-penseurs et non prisonniers, etc.) et faire en sorte que les compétences de vos employés soient toujours à la fine pointe du secteur. Certains seront tentés de joindre d'autres organisations, mais ceux qui resteront pourront contribuer à la croissance et apporter un soutien véritable à votre organisation.

Au niveau familial, assurez-vous que le *credo* soit partagé. Faites en sorte qu'il ne demeure pas un texte que l'on fait semblant d'accepter pour faire plaisir aux autres, mais auquel on ne prête pas plus d'importance qu'aux souhaits de joyeux Noël de votre agent d'assurances.

N'oubliez pas : l'entreprise familiale, c'est la clé de voûte qui garantira ultimement à tous les Québécois le maintien de leur qualité de vie. C'est le parachute social dont s'est doté le Québec au cours des dernières décennies. Il ne faut plus compter sur la grande entreprise pour une création massive d'emplois sur notre territoire. Ces dernières préféreront le Mexique et, avouons-le, nos PME chercheront probablement aussi à profiter d'une main-d'œuvre bon marché quand cela fera leur affaire. Mais si chacune des 165 000 PME du Québec créaient quelques emplois, nous atteindrions le plein emploi dans un temps record, et nous ferions l'envie de nos partenaires économiques internationaux.

Vous pouvez contribuer à cet idéal. Vous avez le pouvoir et la capacité d'agir dans ce sens. Il suffit de retrouver cette fougue qui a été à la base de la croissance de votre entreprise, cette envie de voir plus loin, de faire plus que vos compétiteurs, de vous dépasser quotidiennement.

Il faut donc vous débarrasser de ces mauvaises habitudes que le succès vous a permis d'acquérir : le refus de faire face à la réalité, la procrastination, le manque de communication, les objectifs mal définis et non partagés, l'attachement exagéré aux valeurs passéistes et la méconnaissance de l'environnement contemporain causé par un esprit de clocher hors du commun.

Une meilleure communication assurera, par l'arrivée d'idées fraîches, que votre entreprise ne s'installe pas sur le plateau de la stagnation. Votre organisation sera plus forte. Les liens entre les membres de votre famille seront plus serrés. La société dans son ensemble s'en portera mieux, et le bien-être de tous sera amélioré. C'est ce que nous vous souhaitons, pour vous et pour l'ensemble de la collectivité.

BIBLIOGRAPHIE

Aronoff, Craig E. et autres, *Making the Family Business Outlast You*, Chamber of Commerce of the United States, 1991, 53 p.

Benson, Benjamin et autres, *Your Family Business, a Success Guide for Growth and Survival*, Business One Irwin, 1990, 260 p.

Carroué, Daniel, Côté, Michel et Coutu, Michel, *Le conseiller en management. Manuel de référence du professionnel*, la Corporation professionnelle des administrateurs agréés du Québec, 1992.

Comtois, Pierre. *Feedback : un instrument pour gérer le rendement*, adapté de MacRae, Don et Hartleib, Carl, Canadian Training Methods, 1977.

Covey, Stephen R., *The Seven Habits of Highly Effective People*, Simon and Shuster, New York, 1989, 358 p.

Dalglish, Brenda, « Family Feud », *Maclean's*, 6 septembre 1993, p. 32.

Danco, Katy, *From the Other Side of the Bed*, The Center for Family Business, Cleveland, 1981, 163 p.

Danco, Léon, *Inside the Family Business*, The Center for Family Business, Cleveland, 1980, 248 p.

Danco, Léon, Beyond Survival, The Center for Family Business, Cleveland, 1975, 196 p.

Danco, Léon et Jonovic, Donald J., *Outside Directors in the Family Owned Business*, The Center for Family Business, Cleveland, 1981 207 p.

Dell'Aniello, Paul, *Un plan d'affaires gagnant*, Publications TRANSCONTINENTALES, 2e édition, Montréal, 1993, 112 p.

Dolan, Shimon L. et Lamoureux, Gérald, *Initiation à la psychologie du travail*, Gaëtan Morin éditeur, Boucherville, 1990, 489 p.

Fisher, Roger et Ury, William, *Comment réussir une négociation*, Éditions du Seuil, Paris, 1982, 219 p.

Gergen, Kenneth J. et Gergen, Mary M., *Psychologie sociale*, Éditions Études vivantes, Montréal, 1984, 528 p.

Newman, Peter C., « McCain Wars : End of a Family Firm », *Maclean's*, 6 septembre 1993, p. 40.

Perreault, Yvon G., *L'entreprise familiale. La relève : ça se prépare !*, 2e édition, Les éditions TRANSCONTINENTALES et Fondation de l'Entrepreneurship, Montréal, 1993, 292 p.

Poza, Ernesto J., *Smart Growth*, Jossey-Bass, Cleveland, 1989, 211 p.

Samson, Alain, *Projet de financement successoral*. Travail non publié préparé dans le cadre du MBA de l'UQAM.

Ward, John L., *Keeping the Family Business Healthy*, Jossey-Bass, 1987, 266 p.

Ward, John L. et Aronoff, C.E., « The High Cost of Paternalism », *Nation's Business*, mai 1993, p. 61.

Ward, John L. et Aronoff, C.E., « How to Choose a Consultant », *Nation's Business*, juillet 1993, p. 48.

Ward, John L. et Aronoff, C.E., « Paying the Family : Common Problems », *Nation's Business*, mars 1993, p. 70.

COLLECTION ENTREPRENDRE

Les secrets de la croissance
4 défis pour l'entrepreneur — **19,95 $**
sous la direction de Marcel Lafrance — 272 pages, 1991

Correspondance d'affaires
Règles d'usage françaises et anglaises
et 85 lettres modèles — **24,95 $**
Brigitte Van Coillie-Tremblay, Micheline Bartlett
et Diane Forgues-Michaud — 268 pages, 1991

Relancer son entreprise
Changer sans tout casser — **24,95 $**
Brigitte Van Coillie-Tremblay et Marie-Jeanne Fragu — 162 pages, 1991

Autodiagnostic
L'outil de vérification de votre gestion — **16,95 $**
Pierre Levasseur, Corinne Bruley et Jean Picard — 146 pages, 1991